Sally Perel

Ich war
Hitlerjunge Salomon

Er überlebte in der Uniform
seiner Feinde – ein erschütterndes Schicksal

*Aus dem Französischen
von Brigitta Restorff*

WILHELM HEYNE VERLAG

MÜNCHEN

HEYNE ALLGEMEINE REIHE
Nr. 01/9271

Dem Andenken meiner Mutter Rebekka,
meines Vaters Israel
und meiner Schwester Bertha,
die dem Holocaust zum Opfer fielen,
und dem Andenken meines Bruders Isaak
gewidmet, der starb, während ich
diesen Bericht verfaßte.

BILDNACHWEIS

Ehrenfried Weidemann Seite 29, 101, 203; alle anderen Bilder
stammen aus dem Archiv des Autors

Titel der Originalausgabe
EUROPA EUROPA
Erschienen bei Editions Ramsay

14. Auflage

Durch den Autor um ein Nachwort und den Fototeil
erweiterte Taschenbuchausgabe im
Wilhelm Heyne Verlag GmbH & Co. KG, München
Copyright © 1992 by Nicolaische Verlagsbuchhandlung Beuermann GmbH
und Autorenagentur lansk mehr, beide Berlin
Copyright © 1993 dieser Ausgabe
by Wilhelm Heyne Verlag GmbH & Co. KG, München
Printed in Germany 2001
Umschlagillustration: Bildarchiv Engelmeier, München,
und Archiv des Autors
Umschlaggestaltung: Atelier Ingrid Schütz
Gesamtherstellung: Ebner Ulm

ISBN 3-453-08464-0

*M*an hat mich in letzter Zeit gefragt, weshalb ich mit meiner Geschichte in all den Jahren nie an die Öffentlichkeit getreten bin. Leider war es mir bislang unmöglich, darauf eine eindeutige und befriedigende Antwort zu geben.

Es lag wohl vor allem daran, daß ich an die Vergangenheit und die tragischen Ereignisse, die sie prägten, nicht erinnert werden wollte. Ich gab mir im Gegenteil die größte Mühe, zu verdrängen und zu vergessen. Der graue Alltag sorgte dafür, daß ich das Thema auf die lange Bank schob und nur sehr selten Gelegenheit fand, mich ernsthaft damit auseinanderzusetzen. Ich glaube, die Zeit war einfach nicht reif.

Wenn ich auch manchmal den Drang verspürte, mein Abenteuer zu erzählen, so stellten sich mir doch gleichzeitig die Fragen, die mich geradezu lähmten: Hatte ich wirklich das Recht, mich mit den Überlebenden des Holocaust zu vergleichen? Hatte ich das Recht, mich als Teil ihrer Geschichte zu bezeichnen, meine Erinnerungen mit den ihren auf eine Stufe zu stellen? Hatte ich das Recht, mich mit den Widerstandskämpfern, den Gefangenen der Konzentrationslager und der Ghettos zu vergleichen, mit jenen, die sich in Wäldern, Bunkern und Klöstern versteckten? Sie waren Helden. Mit ihrem Leid waren sie bis an die Grenze dessen gegangen, was ein Mensch ertragen kann. Und doch war es ihnen gelungen, sich mit letzter Kraft ihre jüdische Identität, ihre Menschlichkeit zu bewahren.

Ich dagegen war zur selben Zeit unbehelligt unter den Nazis umhergegangen, hatte ihre Uniform und das Hakenkreuz auf meiner Mütze getragen und »Heil Hitler!« gebrüllt, als hätte ich mich tatsächlich mit ihrer verbrecherischen Ideologie und ihren barbarischen Zielen identifiziert.

Welche Botschaft könnte ich vermitteln? Würde man mir meine Geschichte überhaupt glauben? Würde man versuchen, sie zu verstehen? Und wenn ich mich zur Niederschrift entschlösse: Wäre ich imstande, die Einsamkeit eines langen Berichts inmitten all der Alpträume, Gewissensbisse und Selbstzweifel zu ertragen?

*Mehr als vierzig Jahre habe ich über diese Fragen nach-
gedacht. Bis zu dem Tag, an dem mir keine andere Wahl mehr
blieb. Denn im Lauf der Zeit begriff ich, daß das Trauma, das
ich zu verdrängen suchte, sich nicht länger verdrängen ließ.
Mit diesem seelischen Druck konnte und wollte ich nicht länger leben. Um mich davon zu befreien, mußte ich mir alles
im wahrsten Sinne des Wortes von der Seele schreiben.*

*Und dabei habe ich es mir versprochen, und ich verspreche
es auch dem Leser, mich von Anfang bis Ende an die Wahrheit
zu halten. Die Barrieren sind gefallen, und meine Hand kann
endlich zur Feder greifen, damit meine schmerzlichen Erinnerungen wachgerufen werden, die Erinnerungen an meine
Shoa.*

Ich wurde am 21. April 1925 in Peine, nahe Braunschweig, in Deutschland, Europa, geboren.

Meine Eltern waren 1918 hierhergezogen, als in Rußland die Oktoberrevolution ausbrach. Die Weimarer Republik nahm damals gerne Juden auf. Wir waren vier Kinder. Bei meiner Geburt war mein älterer Bruder Isaak sechzehn Jahre alt, David zwölf und meine Schwester Bertha neun.

Kurz nach ihrer Ankunft eröffneten meine Eltern in der Breiten Straße, der Hauptverkehrsstraße, ein Schuhgeschäft, mit dem sie die Familie ernähren konnten. Zu jener Zeit waren uns die deutschen Nachbarn nicht feindlich gesonnen. Die alteingesessenen Juden hingegen, die schon seit Generationen in Deutschland lebten, begegneten uns kühl.

Wir waren für sie nur armselige Ostjuden. Hin und wieder beklagte man sich zu Hause darüber, was mich jedoch wenig störte. Ich habe den Unterschied zwischen einem Juden und einem Nichtjuden nie begriffen, wie sollte ich da den Unterschied zwischen einem Juden und einem anderen Juden begreifen!

Peine war keine moderne Stadt, doch der technische Fortschritt machte sich auch hier langsam bemerkbar. So erinnere ich mich noch sehr gut daran, mit welcher Begeisterung wir Kinder die ersten Automobile begrüßten. Sie ähnelten Kutschen ohne Pferde und hatten eine riesige Hupe neben dem Lenkrad. Wir liefen ihnen in Horden hinterher, immer darauf erpicht, die »schwarze Birne« zu drücken, damit sie hupte und hupte…

Damals trübte kein Wölkchen meinen glücklichen Kinderhimmel. Nichts deutete für uns auf eine ereignisschwere Zukunft hin. Und doch sollten in den dunklen Jahren, die herankamen, fünfzig Millionen Menschen aller Herren Länder ihr Leben lassen, und die *Shoa,* der planmäßige Mord an den europäischen Juden, unsere Geschichte bald tief erschüttern.

Am 30. Januar 1933 übernahm die nationalsozialistische Partei unter ihrem Führer Adolf Hitler in Deutschland die Macht.

Ein »schwarzbrauner« Totentanz begann: schwarz und braun wie die Nazi-Partei, blutrot wie das Dreiecksemblem der SS, SA und Hitlerjugend.

Zum Schutz der nationalsozialistischen Partei, die er gerade ausbaute, hatte Hitler bereits 1921 die Schaffung der SA, der Sturmabteilung, erreicht. In die SA traten vornehmlich ehemalige Soldaten ein, Männer, die sich in die Gesellschaft nicht mehr eingliedern konnten. Der verlorene Erste Weltkrieg hatte sie verbittert. Sie sollten Unruhe stiften, die Versammlungen gegnerischer Parteien sprengen und gleichzeitig umgekehrt für den reibungslosen Ablauf von Parteiversammlungen der Nazis sorgen. Sie verbreiteten Angst und Schrecken und leisteten auf diese Weise ihren Beitrag, die Demokratie der Weimarer Republik ohnmächtig erscheinen zu lassen und sie damit auszuhöhlen. Nachdem Hitler und seine Freunde fest im Sattel saßen, überließ er der SA die »Schmutzarbeit«: die Verfolgung und »Liquidierung« der Regimegegner und Juden.

Die SS, 1925 geschaffen, war der SA unterstellt – formal. Tatsächlich begriff sie sich aber als eigenständig, als Leibgarde Hitlers. Das wurde sie 1934 dann auch offiziell, direkt dem *Führer* unterstellt. Himmler trat an ihre Spitze. Sein Machtapparat umfaßte überdies die Geheime Staatspolizei, Gestapo, den Sicherheitsdienst, SD, dem die Konzentrationslager unterstanden, und die »Einsatzkommandos«, die in den besetzten Gebieten operierten und dort Männer, Frauen und Kinder töteten.

1926 wurde die Hitlerjugend gegründet. Diese Organisation war aktiv an Straßenschlachten, Demonstrationen und allen Veranstaltungen beteiligt, die die Überlegenheit des Nazi-Terrors unter Beweis stellen sollten. Die »Elite« wurde nach Körpergröße, nordischem Erscheinungsbild und arischer Reinblütigkeit für die SS ausgesucht.

In Peine indes nahm das Leben seinen Fortgang, dabei verdüsterte sich die Lage zusehends. Doch uns Kinder berührte das wenig. Nichts konnte uns davon abhalten zu spielen und wie wild durch die Stadt zu jagen. Zweifellos besaß ich nicht die nötige Reife, um die Gefahr, die auf uns lauerte, einschätzen zu können, zumal mein Vater wie viele andere der Meinung war, dieser »Verrückte« werde sich nicht halten und wahrscheinlich keine achtzig Tage regieren. Die Warnrufe, die manche ausstießen, verhallten wie Rufe in der Wüste.

Zwei Jahre später bekam ich die Verfolgung zum ersten Mal am eigenen Leib zu spüren: In Anwendung der Nürnberger Rassengesetze wurde ich 1935 von der Schule verwiesen. Das tägliche Leben gestaltete sich immer schwieriger und gefährlicher. Mehrmals wurde mein Vater zu Zwangsarbeiten bei der Straßenreinigung und bei der Müllabfuhr herangezogen. Die SA boykottierte jüdische Geschäfte, zerschlug die Schaufensterscheiben und machte sich anderer Gesetzesübertretungen schuldig.

Der Schraubstock des Terrors, der unsere physische Existenz bedrohte, umschloß uns immer enger. Meine Familie entschied sich, Deutschland nun unverzüglich zu verlassen.

Den Großteil unseres Besitzes mußten wir übereilt und zu Summen verkaufen, die diesen Namen nicht verdienten. Praktisch mittellos emigrierten wir nach Polen und ließen uns in Lodz nieder. Den ersten Unterschlupf bot uns Tante Clara Wachsmann, die jüngere Schwester meiner Mutter.

Es war nicht einfach, sich in dem neuen Land einzuleben. Sprache wie auch Mentalität unterschieden sich stark von dem, was wir bisher kennengelernt hatten. Es gelang mir einfach nicht, mich mit dieser Veränderung abzufinden. Mich plagte das Heimweh nach Deutschland, wo ich als Kind so glücklich war. Ich war im Innersten erschüttert durch diese plötzliche und grausame Entwurzelung.

Ich war ein Emigrantenkind geworden. Und zu allem Unglück mußte ich erfahren, daß man für Emigranten nirgendwo Sympathie empfand. Das laute höhnische Gekicher der einheimischen jüdischen Kinder über den *Jeke Potz mit a top kawe* (den Deutschen mit einer Tasse Kaffee) tat mir weh und verstärkte meine Verwirrung. Ich konnte mich gegen diese Prüfungen der Eingewöhnung immer weniger wehren.

Doch das Leben ging weiter, und die heftigen Spannungen verschwanden am Ende. Mit dazu beigetragen hat, daß ich nun wieder die Volksschule besuchte. Ich war gezwungen, mich zusammenzureißen. Mit erstaunlicher Geschwindigkeit lernte ich meine neue Sprache, das Polnische.

Allmählich schälte sich so etwas wie eine neue Existenz heraus. Die Beschäftigung mit polnischer Geschichte, den großen Männern Polens, die fortwährend für nationale Unabhängigkeit und gegen Teilung und fremde Vorherrschaft gekämpft hatten, machte mir dieses Land sympathischer. Ich hatte langsam das vage Gefühl, daß dies meine zweite Heimat werden könnte.

Drei Jahre verstrichen… Dann ging das Schuljahr 1939 zu Ende. Ich schloß die Volksschule erfolgreich ab, und damit hatte ich meine Grundausbildung an einer öffentlichen Schule hinter mich gebracht. Nach den großen Ferien sollte ich auf das hebräische Gymnasium von Lodz überwechseln.

Ich entsinne mich noch der Worte des Abschiedsliedes, das wir in der Schule gesungen hatten, bevor jeder seiner Wege ging. Mit Tränen in den Augen hatten wir es feierlich angestimmt:

> *Rasch geht das Leben vorüber,*
> *Die Zeit verrinnt wie ein Bach.*
> *In einem Jahr, einem Tag, einem Augenblick*
> *Sind wir nicht mehr zusammen,*
> *Und tief in unseren Herzen*
> *Bleiben nur Trauer, Bedauern und Sehnsucht.*

Als wir dies sangen, ahnten wir nicht, daß wir nicht nur »nicht mehr zusammen« sein, sondern viele von uns bald gar nicht mehr sein sollten.

Es kam der 1. September 1939. Die Armeen Hitlers fielen in Polen ein und rissen dadurch die ganze Menschheit in den Zweiten Weltkrieg.

Wir hörten Hitlers bedrohliche Rede im Radio und die Antwort des polnischen Generalstabschefs Marschall Ridz Szmígly, der erklärte, daß Polen mutig kämpfen und keinen Zoll Land abtreten werde. Wenige Tage später sollte sich Polen dem Willen der Nazi-Eindringlinge beugen. Einzig die Hauptstadt Warschau hielt einen Monat stand. Ich war von neuem dem Nazi-Terror ausgesetzt, vor dem ich soeben geflohen war. Ich war ihm in Peine davongelaufen, in Lodz holte er mich wieder ein.

Die ersten Wehrmachtseinheiten marschierten in Lodz ein. Tausende von Deutschstämmigen begrüßten sie mit einem Blumenregen und »Sieg-Heil-Rufen«.

Für die dreihunderttausend Juden der Stadt aber versank die Welt in Finsternis. Das Leben wurde zum Alptraum. Der Unterricht am Gymnasium wurde eingestellt. Niemand durfte sich mehr Herr seines Schicksals wähnen. Eine schaurige Vorahnung beschlich uns. Der Antisemitismus verbarg sich nicht mehr, er kam überall offen zum Ausbruch.

Eines Tages, als ich am hebräischen Gymnasium vorbeiging, sah ich Soldaten eine Gruppe von Juden in den Eingang eines Gebäudes schleifen, sie versetzten ihnen Tritte und überzogen sie mit unflätigen Beschimpfungen, sie schlugen sie und schnitten ihnen die Bärte und Schläfenlocken ab. Entsetzt über das, was sich vor meinen Augen abspielte, floh ich nach Hause. Ich glaubte zu ersticken, rang nach Luft, mein ganzer Körper verkrampfte sich. Auf dem Heimweg mußte ich mich mehrmals verstecken, um einem ähnlichen Anschlag zu entgehen. Sie beraubten uns brutal der Menschenrechte, wir wurden zu Freiwild, jedem Psychopathen in Uniform ausgeliefert.

Einige Monate später erreichten uns die ersten Gerüchte über die Absicht der Nazis, alle Juden in einer geschlossenen Zone, das heißt in einem Ghetto, zusammenzufassen.

Meine Familie versammelte sich, um zu beratschlagen, was zu tun sei, und nach dramatischen Diskussionen wurde beschlossen, daß mein älterer Bruder Isaak, der damals neunundzwanzig Jahre alt war, und ich, der Vierzehnjährige, nicht ins Ghetto gehen, sondern versuchen sollten, uns einige hundert Kilometer weit nach Osten durchzuschlagen. Wir sollten den Grenzfluß Bug überqueren und zu den Sowjets stoßen. Dort, so glaubten wir, wären wir außer Gefahr.

Mein Bruder David befand sich als polnischer Soldat in deutscher Kriegsgefangenschaft, meine Schwester Bertha blieb zu Hause bei den Eltern.

Mein Bruder und ich zögerten. Wir wollten uns nicht von unseren Eltern trennen, wollten ihnen in diesen schweren Stunden helfen und beistehen. Doch ihre Entscheidung war unumstößlich, und sie verlangten, daß wir uns auf den Weg machten. Energisch setzten sie uns auseinander, sie seien schon alt und wollten das Schicksal der anderen Juden der Stadt teilen. Wir hingegen seien jung und dazu verpflichtet, jede noch so kleine Gelegenheit zu nutzen, um uns zu retten.

»Haben wir euch nicht zur Welt gebracht, damit ihr lebt?«, sagte meine Mutter. Papa legte uns die Hand auf den Kopf und segnete uns mit dem heiligsten jüdischen Segen, dem Cohanim-Segen: »Geht in Frieden!« Und Mama fügte hinzu: »Ihr sollt leben!«

Mit Rucksäcken bepackt, die wir mit Proviant vollgestopft hatten, verließen wir das Haus. Wir hatten eine Unmenge Selbstgebackenes eingesteckt, von meiner Mutter zubereitetes »Kommißbrot« aus einem besonderen Teig, dem man Zimt beimischte, damit es sich monatelang frisch hielt. Mein Vater sah mißbilligend auf die Lasten, die uns seiner Meinung nach nur unnötig beschwerten. Ich trug meinen neuen Anzug, den ich zur Bar-Miz'wa, dem jüdischen ›Einsegnungsfest‹, bekommen hatte. Darüber schnallten wir – wie einen Gürtel – zusammenfaltbare Regenschirme, damals eine ganz neue Erfindung und entsprechend wertvoll. Diesen »Gürtel« versteckten wir unter weiteren Jacken und Mänteln, die wir noch darüberzogen. Die Schirme sollten sich als hilfreich erweisen, weil wir damit Bauern »bezahlen« konnten, die uns in ihren Pferdewagen mitnahmen, und weil wir sie gegen Eßbares eintauschen konnten. Mein Bruder hatte eine kleine Menge dieser Schirme im letzten Moment vor der Plünderung der Firma »Gentleman« in Lodz, für die er arbeitete, retten können.

Zunächst aber gelangten wir trotz der überall auf uns lauernden Gefahren noch mit der Eisenbahn nach Warschau. Dort kamen wir beim Direktor der polnischen Zentrale von »Gentleman«, Silberstrom, unter, die Regenmäntel, Gummistiefel und eben diese Klapp-Regenschirme herstellte und vertrieb. Mein Bruder war aufgrund seiner Geschäftstätigkeit für die Firma mit dieser jüdischen Familie gut bekannt. Er hatte auf seinen Reisen hier häufig Station gemacht. Wir verbrachten bei diesen Leuten vier Tage, in denen wir versuchten, ein Höchstmaß an Erkundigungen einzuziehen, die uns die Beurteilung der Lage erleichtern sollten.

Ein Dutzend Meinungen und widersprüchliche Gerüchte waren im Umlauf. Wir waren unschlüssig und beunruhigt zugleich. Wir mußten uns für einen Weg entscheiden und konnten nur beten, daß es der richtige sei… Konnte man noch den Zug nehmen? Untersagten die Russen die Überquerung bestimmter Grenzabschnitte? Auch die Straßenräuber, die überall ihr Unwesen trieben, mußten in die Planung einbezogen werden.

Schließlich nahmen wir den Zug Richtung Grenzfluß Bug. Er war überfüllt. Da ich eher mager und klein war, gelang es mir ziemlich mühelos, einen Platz zu ergattern, während mein weitaus größerer Bruder fast nicht mehr in den Zug hineinkam. Es herrschte eine drangvolle Enge, und wir waren dem Ersticken nahe. Der Zug fuhr furchtbar langsam. Nach stundenlanger Fahrt, die kein Ende nehmen wollte, hielt er in einer Kleinstadt, die etwa hundert Kilometer vor dem Fluß lag. Diese Entfernung mußten wir zu Fuß zurücklegen. Eine vielleicht zwanzigköpfige Gruppe bildete sich; alle waren sehr viel älter als ich. Es war eisig kalt, und der Schnee türmte sich bis zu den Strohdächern auf.

Gegen ein paar Münzen erklärten sich polnische Bauern bereit, unser Gepäck auf ihrem Karren zu befördern. Wir machten uns im bitterkalten Wind auf den Weg, hinter unserem Karren hertrottend wie eine Trauergemeinde hinter dem Leichenwagen, eingehüllt in die Atemwolken des Pferdes. Das monotone Stapfen auf dem knirschenden Schnee erinnerte mich an die Vertreibung der Juden während der spanischen Inquisition, und ich meinte während dieses endlos scheinenden Marsches die sich immer wiederholende Melodie von Ravels *Bolero* zu hören.

Manchmal hielten die Bauern an, um uns auf einen nahegelegenen Stützpunkt des deutschen Heeres aufmerksam zu machen. Danach nahmen wir unseren stummen Marsch wieder auf. Ich fühlte die besorgten Seitenblicke Isaaks, der das Gleichmaß meiner Schritte prüfte und meine Kräfte überwachte. Dann ging ich ganz aufrecht und lächelte ihm beschwichtigend zu.

In der dritten Dezemberwoche 1939 erreichten wir das Ufer des Bug, entkräftet, aber lebend. Auf der anderen Seite des Flusses waren deutlich die Soldaten der Roten Armee mit ihren grünen Mützen zu erkennen.

Auch zahlreiche andere Flüchtlingsgruppen hatten sich hier eingefunden, und alle blickten sie nach Osten. Ein einziger Kahn, der einem polnischen Bauern gehörte, diente als Fähre. Ein Ansturm auf das Boot setzte ein, die Leute stießen einander, einige wurden handgreiflich, um als erste einsteigen zu können. Mehr schlecht als recht erkämpfte ich mir einen Platz, doch mein Bruder hatte kein Glück und wurde ans Ufer zurückgeworfen. Schon legte der überladene Kahn ab. Leute sprangen ins Wasser, um uns einzuholen. Sie hofften, den Fluß überqueren zu können, indem sie sich an der Bootswandung festklammerten. Ich schrie nach meinem Bruder, doch ich sah ihn nicht mehr. Ich brüllte aus Leibeskräften. In dem Tumult ringsum hörte ich ihn dann rufen, ich solle am anderen Ufer auf ihn warten.

Der Bauer ruderte schnell und kräftig. Die starke Strömung drohte uns mitzureißen. Eisschollen rammten den Kahn. Wir hatten die Flußmitte bereits überquert, als sich auf dem Gesicht des Bauern plötzlich Angst und Entsetzen abzeichneten. Er stammelte: »Jesus Maria!« und bekreuzigte sich. Da sah ich, daß Wasser in den überladenen Kahn eindrang. Langsam, aber sicher begann er, in den schwarzen, eisigen Fluten des Bug zu versinken. Bis zum Ufer war es nicht mehr allzu weit, doch unter den Flüchtlingen an Bord brach Panik aus. Manche versuchten, sich schwimmend zu retten. Die Katastrophe ließ nicht auf sich warten. Der Kahn kippte mit all seinen Passagieren um. Die meisten Erwachsenen hatten bereits Grund unter den Füßen, sie konnten an Land waten, ihre Packen auf dem Kopf balancierend. Ich aber war zu klein, meine Füße fanden keinen Halt. Ich fing an, Wasser zu schlucken. Verzweifelt versuchte ich, mich an Eisschollen zu klammern. Ich konnte nicht einmal schwimmen, eingezwängt wie ich war in mehrere Kleiderschichten, zwischen denen noch die Klappschirme befestigt waren. Niemand kam mir zu Hilfe. Zum Glück sah ein russischer Wachposten, daß ich zu ertrinken drohte, und sprang, ohne zu zögern, ins Wasser. Als er mich auf die Böschung gezogen hatte und ich wieder etwas zu Atem gekommen war, schenkte ich ihm zum Dank, daß er mir das Leben gerettet hatte, meinen Füllfederhalter, den ich zur Bar-Miz'wa bekommen hatte.

Am folgenden Tag traf auch mein Bruder ein, und nachdem wir uns zur Feier unseres Wiedersehens herzlich umarmt hatten, setzten wir unseren Weg nach Osten, Richtung Bialystok fort. Die nazistische Gefahr lag jetzt weit hinter uns.

Bialystoks Straßen und Amtsstellen quollen über von Flüchtlingen aus Westpolen. Gemäß dem deutsch-sowjetischen Grenz- und Freundschaftsvertrag blieb dieses Gebiet in den Händen der deutschen Eindringlinge, während die Rote Armee Ostpolen besetzt hielt. Zwischen den beiden Armeen verlief wie eine Trennlinie der Bug.

Nach kurzem Aufenthalt in der Stadt wurde eine Lösung für meine sichere Unterbringung gefunden. Man verfrachtete mich in ein sowjetisches Waisenhaus in Grodno. Mein Bruder machte sich weiter auf nach Norden, nach Wilna, wo er seine alte Freundin Mira Rabinowitsch aufsuchen wollte.

Das Waisenhaus (Dietski Dom Nr. 1) befand sich in der Orzeszkowastraße 15 in einem prächtigen Herrenhaus, das einem polnischen Adligen gehörte – dies erzählte man uns zumindest. Dieser reiche Grundbesitzer war vor den Russen geflohen und suchte Zuflucht bei den Nazis. Was für eine verrückte Welt! Die Leute verließen Haus und Hof, die einen in Richtung Osten, um den Nazis zu entkommen, die anderen in Richtung Westen, um sich ihnen anzuschließen.

In diesem Waisenhaus hatte ich wieder das Recht, menschlich zu leben, was ich lange schon nicht mehr gekonnt hatte. Nach und nach wurde ich ruhiger und kam wieder zu mir. Doch die alptraumhafte Zwangsreise hatte mich tief verstört. Mein Verhalten und meine Gefühle waren völlig durcheinander. Den verständnisvollen Erzieherinnen hatte ich es zu verdanken, daß ich mich wieder an ein normales Leben mit regelmäßigem Stundenplan, vollständigen Mahlzeiten, einem Bett, Unterricht und einem Chor gewöhnte. Alles hätte also dazu beitragen müssen, dem Leben wieder Freude abgewinnen zu können. Doch ich litt an Heimweh, und mich quälte die Ungewißheit über die Lage meiner Familie. Ich wußte nicht, was aus ihr geworden war – und ich lebte hier unbehelligt, aß heißen Brei oder lernte ein neues Kapitel bolschewistische Theorie aus dem »Kratki Kurs WKPB«, dem von Stalin verfaßten Ideologie-Lehrbuch.

Der Schmerz nagte an mir, an meiner Seele. Die physische Reaktion trat dann auch bald ein. Ich wurde zum Bettnässer. Jeden Morgen mußte ich unter den hämischen Blicken meiner Mitschüler mein Bettzeug herausnehmen, es lüften und trocknen. Das war mir noch nie passiert.

Wir verbrachten den Tag mit Lernen und musischer Beschäftigung. Jeden Abend fanden wir uns, sauber und wohlriechend, zum gemeinsamen Abendessen im weitläufigen Speisesaal ein, der nach dem Essen als Musiksaal genutzt wurde. Es gab meistens Grießsuppe, die ich sehr gerne aß, weil sie mich an ein Gericht erinnerte, das meine Mutter oft zubereitet hatte.

Als ich mir eines Tages diese köstliche Breisuppe schmecken ließ, trat eine Erzieherin an mich heran und sagte, ich solle in das Nebenzimmer gehen, wo eine junge Frau auf mich warte. Ich stellte sogleich Vermutungen über die Identität dieser Besucherin an. Vielleicht war es eine Schülerin aus dem Nachbarwaisenhaus, die mich wegen irgendwelcher Aufgaben befragen wollte, oder eine Schülerin der Theaterklasse. Ich dachte sogar an Frau Kobrynski, die mich kurze Zeit vor meiner Aufnahme ins Waisenhaus beherbergt hatte. Womöglich brachte sie mir Nachrichten von zu Hause. Ich ließ hastig meine dampfende Suppe stehen und eilte mit Riesenschritten zum Nebenraum. Ich schloß gerade die Tür hinter mir, als sich mir ein weinendes junges Mädchen an den Hals warf. Es war Bertha! Bertha, meine geliebte Schwester! Endlich fiel ein Lichtstrahl in meine Einsamkeit. Lange hielten wir uns in den Armen und küßten uns. Ich wollte etwas sagen, doch meine Worte gingen in einer Flut von Tränen unter, so aufgewühlt war ich. Bertha ließ mich nicht mehr los. Ich konnte nur unzusammenhängende Worte stammeln, mit denen sich mein übergroßes Glück Bahn zu brechen suchte.

Ich starrte Bertha immerzu ungläubig an. Ich sah ihre natürliche Schönheit, so wie sie mir noch heute im Gedächtnis ist, und doch bemerkte ich rasch die Spuren des entsetzlichen Leides in ihren Zügen, das Trennung und Flucht verursacht hatten. Sie hielt ein armseliges Bündel in der Hand und sah erschöpft aus. Mit einundzwanzig Jahren hatten sie die Prüfungen des Lebens bereits tief gezeichnet. Eine Stunde später, als der Rausch des Wiedersehens zu verfliegen begann, setzten wir uns auf mein Bett, das einzige private Eckchen, und unterhielten uns. Essen wollte sie nichts, um mich nur keine Sekunde alleine zu lassen. Der Bericht ihres Abenteuers bestürzte mich. Mit einer Freundin war es ihr gelungen, durch die Ghettotore zu entkommen, die sich wenig später endgültig geschlossen hatten. Auf demselben Weg wie ich, die gleichen Gefahren und Verwicklungen durchlebend, hatte sie den Bug überquert und mich dank der Adresse, die ich auf meinen Briefen in das Ghetto angegeben hatte, wiedergefunden.

Sie erzählte mir, daß es Vater und Mutter leidlich ginge,

daß sie glücklich seien, Isaak und mich an einem sicheren Ort zu wissen, und daß die beiden beschlossen hätten, sie nun ebenfalls in den Osten zu schicken. Mein Bruder David schreibe keine besorgniserregenden Briefe aus dem deutschen Gefangenenlager, in dem er saß.

Bertha schlief ein paar Stunden in einem freien Bett, und in der Morgendämmerung des folgenden Tages nahmen wir wieder Abschied. Sie ging nach Smorgon, nahe Wilna, wo sie bei Isaak und Mira wohnen wollte, die gerade geheiratet hatten.

Ich ahnte nicht, daß dies eine endgültige Trennung sein sollte. Während ich heute diese Zeilen schreibe, steht ihre Photographie wie eine nie verwelkende Blume an meinem Bett.

Sallys Schwester Berta (Mitte) mit Freundinnen vor Kriegsbeginn in Peine.

Trotz der Ängste, die ich ausstand, lernte ich fleißig. Einmal im Monat hatte ich die Freude, eine Karte meiner Eltern zu erhalten. Auf diese Weise erfuhr ich, daß sie wohlauf waren, mein Bruder David freigelassen worden und ins Ghetto gekommen war und die Auserwählte seines Herzens, Pola Rosner, geheiratet hatte. Mit zitternder Hand antwortete ich mit langen Briefen, die ich an folgende Adresse richtete: Familie Perel, Franziskanskastraße 18, Ghetto Litzmannstadt.

Unterdessen war ich in die kommunistische Jugend, den *Komsomol,* aufgenommen worden. Noch konnte ich nicht wissen, daß ich in absehbarer Zeit einem ganz anderen Jugendverband angehören würde.

Von den *Pionieren,* den Jüngsten, in den *Komsomol* des Waisenhauses aufzurücken, war nicht einfach für mich: Arglos und vertrauensselig hatte ich nämlich in das Aufnahmeformular geschrieben, daß mein Vater Kaufmann sei. Damit bekannte ich naiv, nicht aus dem Proletariat zu stammen.

Im Sekretariat unseres *Komsomol* wurde das Problem tatsächlich ernsthaft erörtert. Ich war zwar kleinbürgerlicher Herkunft, doch da ich »hervorragende schulische Leistungen und Eifer in allen Fächern« zeigte, einigte man sich auf einen Kompromiß und gestand mir eine einmonatige Probezeit im *Komsomol* zu. Nach Ablauf dieser Frist wurde ich vor die Aufnahmekommission zitiert. Da ich durch meine Wortgewandtheit zu überzeugen vermochte und meine Eignung glaubhaft machen konnte, wurde ich schließlich in die Organisation aufgenommen, der anzugehören ich mir so heftig gewünscht hatte. Der Tag der feierlichen Aushändigung der Parteiausweise war ein wahrer Festtag für mich.

In Peine hatte ich Am Damm 1 gewohnt, und in der linken Nachbarschaft, Hausnummer 6, befand sich das Kolonialwarengeschäft des Herrn Kratz. Er war auch Sekretär der KPD-Ortsgruppe Peine. Fast jeden Morgen schickte mich Mama zu ihm, um frische Brötchen und Milch zu holen, und immer bekam ich von ihm ein warmes Morgenglättchen über meine Haare und ein Hammer- und Sichelabzeichen auf die Brust.

Ich mochte es sehr. Und natürlich war meine volle kindliche Sympathie mit seinen roten Glaubensgenossen, als ihre Versammlungen im Volkshof von den mit Lastwagen angefahrenen braunen SA-Horden gesprengt wurden. Die darauf stattfindenden Straßenkämpfe waren blutig, und meinen Segen bekamen immer die Peiner Kommunisten. Eines erschien mir seltsam: Immer wenn die Polizei endlich ankam, wurden die Angegriffenen verhaftet und nicht die braunen Vandalen.

Dann verließ ich Peine, meine freundliche Kinderstätte, und kam mit der Familie nach Lodz. Meine ersten Freunde dort, Jakob und Jerzyk, kamen aus Familien, die der extrem linken sozialistischen jüdischen *Bund*-Partei angehörten, und so wollte das Schicksal eine weitere Fortsetzung der Weltanschauung des Genossen Kratz aus Peine. Ich besuchte fast regelmäßig den Kulturklub der Bewegung und nahm sogar aktiv Anteil an den verbotenen Demonstrationen am 1. Mai. Nun sollte es nicht anders sein, und nach der aufgezwungenen Flucht vom Elternhaus kam ich in das sowjetische Kinderheim in Grodno, und schon das erhaltene weiße Hemd mit der roten Pionierkrawatte und die täglichen Lektionen über Marxismus-Leninismus fielen fruchtbar auf schon so gut gedüngte Erde: Sally wurde zu einem überzeugten Klassenkämpfer für die bessere Zukunft der Menschheit!

Unser Waisenhaus wurde vom Panzerregiment der Roten Armee unterstützt. Regelmäßig verbrachten wir die Abende in Gesellschaft der Offiziere und Soldaten der Einheit, von denen wir so herrliche Lieder wie *Kalinka* oder *Katjuscha* lernten. Später habe ich diese Lieder mit meinen Kampfgenossen des *Palmach* während des israelischen Unabhängigkeitskrieges auf hebräisch gesungen.

An diesen Abenden wurden freundschaftliche Verbindungen zwischen den Waisenhauszöglingen und den Regimentssoldaten geknüpft. Sie luden uns manchmal ein, zum Militärstützpunkt zu kommen und bei verschiedenen sportlichen Ereignissen mitzumachen oder zuzuschauen. All dies half mir, meine Traurigkeit zu überwinden.

Bisweilen nahmen sie uns in das Kino der Stadt mit, wo russische Filme gezeigt wurden. Eines Tages sahen wir *Auf der Suche nach dem Glück,* einen Film über die Juden von Birobidschan. Ich verstand nichts, weder, um welche Juden es hier ging, noch, wie sie dorthin geraten waren. Doch wurde in manchen Szenen jiddisch gesprochen, worüber ich mich freute. Ich nahm mir vor, eines Tages die unbekannte jüdische Republik zu besuchen. Leider vereitelten die unmittelbar bevorstehenden Ereignisse die Verwirklichung dieses absonderlichen Einfalls.

Zwei Jahre vergingen so, von 1939 bis 1941. Dann kam der Monat Juni. Wir waren mit den letzten Vorbereitungen zur Abreise in ein Sommerlager beschäftigt, das sich in der freien Natur am Ufer des Njemen befand. Schon im Vorjahr hatten wir den Sommer in jener Gegend verbracht, und nun warteten wir ungeduldig darauf, daß diese wunderbare Zeit wieder anbrechen würde.

Wir ahnten nicht, daß sich das deutsche Heer in diesem Augenblick bereits zum Angriff rüstete und der Countdown des Unternehmens »Barbarossa« lief.

22. Juni 1941. Der Angriff begann vor dem Morgengrauen. Um fünf Uhr fuhren wir beim Getöse der ersten von den Deutschen abgeworfenen Bomben aus unseren Betten hoch. Minuten später erfuhren wir, was geschehen war: Die Deutschen hatten den deutsch-sowjetischen Nichtangriffspakt gebrochen und begannen mit dem Einmarsch in Rußland. Ein sowjetischer Erzieher, ein Jude, stand plötzlich im Schlafsaal und befahl allen jüdischen Kindern, sich anzuziehen und in das Innere Rußlands zu flüchten. Mittlerweile waren fast überall Lautsprecher angebracht worden, und man hörte die Stimme Außenminister Molotows, der »den Krieg zur Verteidigung des heiligen Vaterlandes« ausrief.

Wir machten uns mit einer ganzen Gruppe auf den Weg. Wir dachten, daß die Rote Armee, noch bevor wir in Minsk einträfen, mit den faschistischen Eindringlingen kurzen Prozeß gemacht, sie mit ihren surrenden Maschinen dezimiert haben würde. Davon jedenfalls sangen wir in unseren russischen patriotischen Liedern, so jedenfalls tönte es in den Reden der Parteigrößen, die nicht aufhörten, die Vernichtung jedes Gegners zu versprechen, der es wagte, den Fuß auf unsere Erde zu setzen.

Auf unserer Flucht aber bot sich uns ein anderes Bild: das Bild der Niederlage der »ruhmreichen, unbesiegbaren Sowjetarmee«. Straßen und Felder waren übersät mit Toten und Verletzten. Brandherde breiteten sich überall aus, die Luft war voller beißendem Rauch. Süßlicher Leichengeruch stieg uns in die Nase. Unsere Gruppe ergriff Panik, alle liefen auseinander. Jetzt war ich allein. Ich wollte auf den Norden, auf Smorgon, zuhalten, um zu meinem Bruder Isaak zu gelangen. Doch die Welle der Flüchtenden riß mich mit nach Osten in ein kleines Dorf nahe Minsk. Dort erfuhr ich, daß weiter in den Osten hinein zu fliehen nicht möglich war, da die Deutschen die Stadt bereits eingenommen hatten. Überall sah ich die schrecklichen Spuren der soeben angerichteten Verwüstungen.

Ich hatte Mühe, in diesem Alptraum einen klaren Kopf zu behalten. Vor zwei Tagen erst war ich wie tausend andere geflohen. Ich war von einem umkippenden Pferdekarren gesprungen, ich hatte mich außen an einen überfüllten Lastwagen gehängt. Und dabei hatte ich nur eins im Sinn: Ich wollte überleben.

Unter dem Hagel der Bomben und Granaten fing die Erde an zu brennen. Dichte Rauchschwaden stiegen zum Himmel, der sich ohnehin verdüstert hatte. Das Pfeifen der todbringenden, sprengstoffgefüllten Metallgeschosse verstärkte sich und kam näher. Ich mußte mich flach auf die Erde werfen, zu einem Schutz bietenden Felsen kriechen oder mich unter einer Baumwurzel zusammenkauern, um der Druckwelle der Explosionen zu entgehen, während über uns die hakenkreuzbemalten Flugzeuge dröhnten.

Zu Recht nannte man diese Invasion einen Blitzkrieg. Charakteristisch dafür war, gewaltige Panzerkolonnen in das innere des feindlichen Gebiets vorzuschieben, ohne sich darum zu scheren, was an den Flanken geschah. Hatten sie einen bestimmten Punkt erreicht, ließ man sie nach rechts und links ausschwärmen, bis sie durch mannigfache Verzweigungen zu den parallel operierenden Panzerkolonnen stießen. Auf diese Weise gelang es den Deutschen, innerhalb weniger Tage Keile zu schaffen, die ihre Armee von Nord nach Süd und längs der gesamten Frontlinie kontrollierten. Wo die Rote Armee operierte, wurde sie innerhalb dieser Keile eingekesselt. Die Lage begann, dramatisch zu werden. Wohin ich auch blickte – überall Brände, Verletzte und Tod…

Ich war sechzehn Jahre alt.

Meiner Jugend ist es zuzuschreiben, daß ich trotz der furchtbaren Ereignisse noch einigermaßen bei Verstand und in einem gewissen Sinne gleichmütig blieb. Ich hatte damals keine genaue Vorstellung von der wirklichen Gefahr. Auch was die Zukunft für uns bereithielt, konnte ich mir nicht ausmalen. Es war mir gelungen, eine Zeitlang der Hölle des Dritten Reiches zu entfliehen. Ich war aus Peine, aus Lodz, aus Grodno herausgekommen. Meine jetzige dritte Flucht von Grodno nach Minsk schien sich dem Ende zuzuneigen. In Wahrheit hatte sie gerade erst begonnen.

Einen Tag nach meiner Ankunft in dem kleinen Dorf traf ich frühmorgens auf hohe sowjetische Offiziere, die sich über ausgebreitete Landkarten beugten. Die Rangniederen sammelten die versprengten Soldaten ein. Sie versuchten, eine geordnete Einheit zusammenzubringen, mit der sie die deutsche Einkesselung durchbrechen und zu den regulären Verbänden stoßen wollten. Ob es ihnen gelungen ist, habe ich nie erfahren.

Ich hatte vor, zum nächsten Brunnen zu gehen und einen Topf mit Wasser zu füllen, um mir die letzten Nudeln und die letzten Zuckerstücke zusammenzukochen. Ich hatte sie aus einer russischen Feldkantine mitgenommen, die bei dem überstürzten Rückzug liegengeblieben war.

Unterdessen kamen die Granateinschläge immer näher. Tiefflieger feuerten Salven ab, und die verirrten Kugeln pfiffen durch die Luft. Mutter Erde bot den einzigen Schutzschild; hinter einem Hügel, einem Steinbrocken, einer Anhöhe oder in einem Straßengraben konnte ich mich in Sicherheit bringen.

Plötzlich waren sie da.

Nachdem sich die Staubwolken verzogen hatten, erkannte ich sie deutlich. Ihre Gesichter waren rußgeschwärzt und staubverkrustet. Große Fahrerbrillen bedeckten Stirn und Augen. Die furchteinflößenden Stahlhelme, die grünspanfarbenen Uniformen und die schwarzen Stiefel verliehen ihnen das Aussehen von Ungeheuern.

Auf ihre Krad-Beiwagen hatten sie schußbereite Maschinengewehre montiert.

Wir saßen in der Falle. Flucht war nicht möglich.

Plötzlich tauchte am Himmel ein Tiefflieger auf und warf Flugblätter ab. Auf russisch und deutsch wurde uns befohlen die Waffen niederzulegen und den Anweisungen des Patrouillenfahrzeugs Folge zu leisten, das auf einmal vor uns stand.

Befehle wurden gebrüllt. *Dawai! Dawai!* – »Los! Los!« Wir mußten auf ein leeres Feld gehen und lange Reihen bilden. Wir sollten sortiert werden. Ich stellte mich in die längste Reihe, in der Offiziere, einfache Soldaten und Zivilpersonen standen. Ich war das einzige Kind. Trotz meiner sechzehn Jahre sah ich wie ein kleiner Junge aus.

Stunden wartete ich jetzt schon so, und die Schlange rückte langsam zu den deutschen Wachposten vor. Die Gerüchte jagten sich. Man flüsterte einander zu, daß die Wehrmacht Juden und Politkommissare der Roten Armee nicht, wie nach dem Kriegsrecht üblich, in Gefangenenlager brächte, sondern sie in den nächstgelegenen Wald triebe und dort erschießen würde.

Die Schlangen wurden von den Soldaten des deutschen Kommandos scharf überwacht. Jeder unachtsame Schritt über die Linie zog Beschimpfungen, Drohungen und Gewehrsalven nach sich. Ich sah, wie russische Offiziere in meiner Nähe ihre Abzeichen von den Uniformen entfernten; andere lösten verstohlen den fünfzackigen Stern, das Zeichen des *Politruk,* vom Ärmel ab.

Ich begriff, daß jeder Schritt nach vorn ein Schritt dem Ende zu war. Denken konnte ich nicht mehr, Angst und Entsetzen lähmten mich, die Zunge lag mir wie ein Bleiklumpen im Mund. Ich konnte gerade noch murmeln: »Mama, Papa, Gott, wo seid ihr? Ich will noch nicht sterben.«

Fast schlafwandlerisch, ohne es wirklich überlegt oder genau bedacht zu haben, gelang es mir mit dem Mut der Verzweiflung, mich aller meiner Papiere zu entledigen, die meine jüdische Herkunft oder meine Zugehörigkeit zum *Komsomol* bezeugten. Mit dem Schuhabsatz grub ich ein kleines Loch in die weiche Erde und stampfte die verräterischen Dokumente hinein. Und das vor der Nase der Wachposten! Ich hatte weder an die Folgen noch an die Reaktion dieser Ordnungs- und Perfektionsfanatiker gedacht, wenn sich ein Junge ohne Ausweispapiere präsentierte. Doch etwas wie eine innere Stimme, eine Intuition der Zuversicht, ein Funke Hoffnung, flüsterte mir zu: »Das ist nicht möglich, es wird dir nichts geschehen…«

Ein ähnlicher Hoffnungsschimmer muß auch noch im Herzen der zum Tode Verurteilten glimmen, wenn die Henker sie aus den Zellen holen, um sie auf ihren letzten Weg zu bringen.

Seit Kriegsende und noch heute sehe ich mich in meinen Träumen am Rand einer frisch ausgehobenen Grube stehen. Mir gegenüber wird exekutiert… die Kugeln pfeifen… sie treffen oder treffen nicht… ich falle… falle… und wache in meinem Bett auf. Ich bin schweißgebadet, starr vor Schreck, ich ringe nach Luft, aber ich lebe, bin wohlauf. Es ist jedes Mal, als würde mir das Leben von neuem geschenkt.

Die Reihe rückte auf. Bald lag nur noch eine winzige Strecke zwischen den Soldaten und uns. Vor mir stand noch eine Handvoll Männer. Ich konnte bereits deutlich die Gesichtszüge derjenigen erkennen, die darüber entschieden, wer leben durfte und wer nicht. Ich hörte ihre bellenden Befehle. Schickte sich meine Lebensuhr an, die letzte Stunde für mich zu schlagen?

In diesem Augenblick hätte ich fliehen, vom Erdboden verschwinden, mich in etwas anderes, in irgendein Tier verwandeln oder unsichtbar werden mögen. Ich wäre so gerne erwacht und hätte an der Brust meiner Mutter wieder Atem geschöpft. Doch nichts dergleichen geschah. Ich stand wie festgenagelt. Die Angst hatte einen unbeschreibbaren Höhepunkt erreicht. Sie drang in jede Faser meines Körpers und drohte, ihn in tausend Stücke zu sprengen. Unter dieser unerträglichen Anspannung verlor ich einige Tropfen Sperma. Ich spürte ein Nachlassen der Spannung und eine eigenartige Erleichterung. Meine Unterhose wurde feucht, trocknete aber rasch wieder und wurde hart.

Ich schloß kurz die Augen, wie losgelöst zwischen Himmel und Erde schwebend. Als ich sie wieder aufschlug, erblickte ich das Koppel eines links von mir stehenden Soldaten, auf dem »Gott mit uns« eingraviert war. Was hatten diese Worte zu bedeuten?

War dies derselbe Gott, der uns Juden als die Kinder des auserwählten Volkes bezeichnet hatte? Oder hatten sie einen anderen Gott, den man mit Menschenopfern besänftigen mußte? Der Mann mit dem Koppel schrie mich an: »Hände hoch!« Ich war an die Reihe gekommen. Ein paar Sekunden lang, vielleicht die letzten meines Lebens, dachte ich an Vater und Mutter, an das Gute und Schöne auf Erden, an meinen unbändigen Lebenswillen.

Ich bebte am ganzen Körper. Ich hob meine zitternden Arme, und der stahlhelmbewehrte Wachposten näherte sich mir, um mich systematisch zu durchsuchen. Ich sah mich schon sterben, blieb aber stocksteif stehen und brach nicht in Schluchzen aus.

Ich wartete. Er hob die Hand, und in dem Augenblick, da sie meinen Körper berührte, überflutete mich der Lebenswille wie ein Orkan. Etwas Phantastisches war in mir vorgegangen, eine Art Befreiungsengel wachte plötzlich über mich. Die lähmende Angst verflog. Auch meine bleischwere Zunge löste sich. Zuversicht und Mut überkamen mich, und ich sagte leichthin zu dem Mann, der gleich über mein Schicksal entscheiden würde: »Ich habe keine Waffen!« und lächelte ihn breit an.

Er beugte sich nieder und tastete rasch meine Hose ab. Er schielte von unten hoch und fragte mich lauernd und drohend: »Bist du Jude?«

Ohne zu zögern, antwortete ich mit normaler, fester Stimme: »Ich bin kein Jude, ich bin Volksdeutscher.«

Mein Leben hing an einem seidenen Faden. Ich befand mich in den Händen eines Militärs, der vom Wahnsinn des Krieges und der Mordlust vergiftet war. In seinen Augen war ein Menschenleben keine Revolverkugel wert. Sein Wille und sein Urteil bestimmten mein Schicksal. Würde er mir glauben?

Doch die Gefahr verschärfte sich, und die Lage wurde nahezu aussichtslos: Ein hinter mir stehender junger Pole sprang plötzlich vor und sagte, mit dem Finger auf mich zeigend, zu dem deutschen Wachposten: »Der... Jude!« Ich verneinte verzweifelt, halb tot vor Angst. Da ereignete sich das Erstaunliche und Unglaubliche, das ich heute noch nicht begreife. Der Nazi-Soldat glaubte mir, ausgerechnet mir! Der verwirrte Denunziant bekam eine schallende Ohrfeige für seine Unverschämtheit und den Befehl, »seine Schnauze zu halten«. Wörtlich!

Mein Blick blieb von neuem am Koppel des Soldaten hängen. Zum zweiten Mal las ich: »Gott mit uns«. Was war in diesem alles entscheidenden Augenblick im Herzen dieses Mannes vorgegangen? Hatte ihm ein göttlicher Funke, während er vor mir stand, etwa zugeflüstert: »Dieser Junge muß leben!«? Wenn es so war, warum dann ausgerechnet ich? Würde ich es je erfahren oder begreifen? Bevor die Reihe an mir war, hatten schon viele Juden die Kontrolle durchlaufen. Auch sie wollten ihre Herkunft verbergen. Da sie des Deutschen nicht mächtig waren, konnten sie sich schlecht als Deutsche ausgeben und hatten daher erklärt, Polen, Ukrainer, Litauer, usw. zu sein. Sobald jedoch in den Augen der argwöhnischen Soldaten der geringste Zweifel bestand, befahl man ihnen, die Hosen herunterzulassen. Entdeckte man, daß sie beschnitten waren, trieb man sie fluchend zusammen und jagte sie zur nächsten Gruppe, die in den Wald fuhr. Dort wurden sie erschossen.

Aber mir, mir hatten sie geglaubt.

Überraschend höflich bat man mich, beiseite zu treten. Ich tat es. Unterdessen ging die Aussonderung weiter. Während ich wartete, hörte ich das metallische Klirren der Schaufeln, die die Gräber meiner Brüder aushoben, hörte ich ganz nah die Maschinengewehrsalven. Die Schützen gehörten zu den »Einsatzkommandos«, die den vordringenden Wehrmachtseinheiten auf den Fersen folgten, aber nicht, um sich etwa am Kampf zu beteiligen, sondern einzig, um unzählige Juden und *Politruks* zu ermorden.

Ich stand noch immer da, bestürzt über die unglaublichen Szenen, die sich vor meinen Augen abspielten. Diejenigen, die nach rechts abgingen, wurden in den Todeswald befördert, die linke Schlange in ein riesiges Lager getrieben, das man eigens für sie errichtet hatte. Ich verharrte in der Mitte und wartete auf mein Schicksal.

Hin und wieder lächelte mir der Deutsche, der mir soeben das Leben gerettet hatte, aufmunternd zu, um mir zu bedeuten, daß er mich nicht vergessen habe. Ein deutscher Unteroffizier näherte sich. »Herr Unteroffizier, wir haben unter diesem Abfall der Menschheit einen jungen Deutschen gefunden«, machte der Soldat Meldung. Wohlwollend lächelnd nahm mich der Unteroffizier in Empfang.

Ein wichtiges nationalsozialistisches Ziel war die Heimholung aller Volksdeutschen ins Reich. Zur Verwirklichung dieses großen Unternehmens mehr oder weniger beizutragen, erfüllte die Soldaten mit vaterländischem Stolz. Der Weg war noch weit, bevor die Tausenden von Deutschen befreit werden konnten, die am Wolgaufer lebten, und mit mir – so glaubten sie – war ihnen die erste Schwalbe zugeflogen. Etwa eine Stunde später fuhr eine mit Soldaten und Waffen vollgeladene Zugmaschine vorbei. Der Unteroffizier hielt sie an, wechselte ein paar Worte mit dem Hauptmann und sagte, ich solle mich einmal auf den Kotflügel des Fahrzeugs setzen. Die Insassen lächelten mir zu. Ein Soldat photographierte die Szene, ohne zu ahnen, welch einzigartige Aufnahme ihm da gelungen war. Erst 1987, also fünfundvierzig Jahre später, hielt ich dies Photo in Händen. Ich fand es in Lübeck bei Ehrenfried Weidemann, jenem Soldaten, der mich damals gefangengenommen hatte.

Die Zugmaschine fuhr an, nachdem man mich hineingezwängt hatte. Das Kreischen ihrer Ketten übertönte die Schüsse im Wald, und die Staubwolken verbargen mir die unzähligen anderen, die in den Reihen des Schicksals gingen...

Der Vorhang senkte sich und hob sich wieder, und die Reise in eine ungewisse Zukunft begann.

Sally Perel nach seiner Gefangennahme 1941 auf dem Kotflügel der deutschen Zugmaschine.

Ich hielt mich mit Händen und Füßen im Fahrzeug des Feindes fest, ein Sturz wäre fatal gewesen. Die Fahrt dauerte nur kurz. Wir gelangten schnell in das Lager der Panzerjäger-abteilung der 12. Panzerdivision.

Der Hauptfeldwebel der Kompanie, ein vierzigjähriger Berliner namens Haas, empfing mich herzlich. Er verlor ein paar mitfühlende Worte über meinen schwachen, verwirrten Zustand, den Alptraum, den ich durchlebt haben mußte, und versprach, sich um mich zu kümmern. Ich war tatsächlich ausgehungert und trug nur noch Fetzen am Leib, da ich auf meiner überstürzten Flucht oft durch Gestrüpp und steiniges Gelände hatte kriechen müssen.

Ein junger Soldat wurde angewiesen, mir etwas zu essen zu holen. Ich werde nie vergessen, mit welchem Heißhunger ich eine ganze Platte mit belegten Broten leerfegte. Einem anderen Soldaten wurde befohlen, mir Ausrüstung, Stiefel und die kleinste Uniform zu besorgen.

Nachdem ich satt war und mich gewaschen hatte, schlüpfte ich in die Uniform, die mir die Wehrmacht zugedacht hatte. Es war wie ein Schlag ins Gesicht. Bis jetzt war mein Fühlen und Denken von diesem endlosen Alptraum bestimmt gewesen, in dem ich keinen aktiven Anteil hatte, in dem ich nur Statist gewesen war. Aber alles schien geschrieben zu stehen und vorherbestimmt, und die Flügel des Schutzengels deckten und retteten mich und gaben mir die passenden Worte und Verhaltensweisen ein. Ich betrachtete mich im Rückspiegel eines abgestellten Fahrzeugs.

Auf meiner Brust sah ich das Abzeichen mit dem preußischen Adler, der das Hakenkreuz in seinen Raubvogelkrallen hielt. Man bat mich, die Mütze mit den schwarz-weiß-roten Streifen aufzuprobieren. Das ernüchterte mich vollends. Ich fand mich erschreckend. Rings um mich, den kleinen Salomon, war ein blutrünstiger Krieg im Gange – und ich steckte in einer Nazi-Uniform! Es überrieselte mich eiskalt von Kopf bis Fuß. Die Situation überforderte mich völlig, und ich wußte nicht, wie ich mich verhalten sollte. Ich hatte Angst vor mir selbst und vor den anderen, die mich umgaben. Wen von beiden ich mehr fürchtete, ist nicht sicher. Ich, das jüdische Kind, hielt mich beim grausamsten Feind auf, und ich mußte all meine Kräfte aufbieten, um die Nerven zu behalten und zu verhindern, daß die gefährliche Wahrheit ans Licht kam.

Mit Todesangst im Herzen und schreckensbleichem Gesicht war ich vor ihnen geflohen, seit ich denken kann. Und jetzt befand ich mich in ihrem Lager, trug ihre Uniform und gab vor, an einem sicheren Ort und in meiner Heimat angelangt zu sein. Der Spiegel warf mir das Bild der Uniform auf meinem abgemagerten Leib zurück, der Uniform, vor der ich aus Peine, aus Lodz, aus dem Waisenhaus geflohen war. Vielleicht war dies auch nur ein böser Traum, aus dem ich sogleich erwachen würde. Aber ich öffnete die Augen und erkannte, daß dies die neue Wirklichkeit war. Ich weigerte mich zu glauben, was meine Augen sahen. Die aberwitzigsten Wahnvorstellungen hätten sich eine derartige Umkehrung der Situation nicht ausdenken können. Was ich empfand, hätte nur ein in die Höhle des Löwen geworfenes Schaf nachempfinden können. Nach langen Minuten hatte ich den Schock des jähen Wechsels überwunden.

Jetzt dachte ich fieberhaft an die Antworten, die ich zu geben, und das Verhalten, das ich an den Tag zu legen hatte. Ich war noch in Gedanken, als man mich aufforderte, vor den Feldwebel zu treten. Er saß in einem blauen Volkswagen, der der Kompanie als fahrende Schreibstube diente. Neben dem Lenkrad war ein Brett mit einer Schreibmaschine befestigt, den Wagenfond füllten Regale mit Verwaltungsakten aus. Die germanische Ordnung.

Ich näherte mich ihm. Als ich mich auf gleicher Höhe mit ihm befand, ergriff er sogleich einen Stift und sagte: »Deine Papiere bitte!«

Meine Zunge war wie gelähmt, und ich konnte kaum hinunterschlucken, was mir ein paar Sekunden Bedenkzeit verschaffte. Sagte ich die Wahrheit, gestand ich, meine Papiere in der Erde vergraben zu haben, war mir der Tod gewiß. Ich wußte, daß ich eine plausible Geschichte erfinden mußte. Nun aber hatte man mich bisher nicht gelehrt, auf Anhieb prompt und glaubhaft zu lügen. Das haben die Umstände und die Nazis zuwege gebracht. Schnell ließ ich mich von den überlebensnotwendigen Hirngespinsten mitreißen.

Die Lüge kam binnen Sekunden: »Herr Feldwebel, all meine Ausweispapiere wurden durch den massiven deutschen Artilleriebeschuß des eingekesselten Gebiets, in dem ich mich aufhielt, vernichtet«, antwortete ich selbstbewußt und ohne den geringsten Zweifel an der Glaubwürdigkeit meiner Worte aufkommen zu lassen. »Ach, du armer Kerl!« sagte der Deutsche und lächelt mir verständnisvoll zu. Er nahm ein leeres Blatt Papier und fragte: »Wie heißt du?« Unwillkürlich nannte ich meinen richtigen Namen: Perel, und sofort schrillte eine Alarmglocke in meinem Gehirn, Salomon, was hast du gemacht? Du hast mit deinen eigenen Worten deine einzige Überlebenschance zerstört! Perel ist ein ausgesprochen jüdischer Name.

Offenbar war ich noch nicht geübt genug; ich hatte nicht ganz begriffen, worum es ging, auch nicht, daß fortan jede Minute meines Lebens von der Verschleierung der Wahrheit und den spontan erfundenen Notlügen abhängen würde, ohne die ein Überleben unmöglich war und die meine einzigen Waffen darstellten.

Zum Glück konnte er meine Antwort wegen des Bombenlärms der Stukas und der brummenden Motoren der uns in Wellen überfliegenden Doppeldecker nicht recht verstehen, und so fragte er nach: »Wie? Wie?« Man gewährte mir also noch eine Galgenfrist. Mir war klar, daß ich einen anderen Namen finden mußte, der aber nicht völlig anders klingen durfte – wie etwa Stuttwaffer oder Müller –, und ich erwiderte: »Ich heiße Perjell.«

Ich hatte anscheinend gut gewählt, denn ein danebenstehender Mann kam mir zu Hilfe, indem er verkündete: »Perjell, Perjell, das ist typisch für die in Litauen ansässigen Deutschen!« Natürlich stimmte ich sofort zu. Fragte man mich später nach der Herkunft meiner Familie, hatte ich stets die Antwort parat: »Litauen.« Auf die Aussage eines solchen Namensexperten war ja Verlaß.

Die zweite Frage kam sofort: »Vorname?« Selbstverständlich sagte ich nicht Salomon, ich hätte verrückt sein müssen. Die Verzweiflung inspirierte mich, und ich nahm den erstbesten Vornamen, der mir einfiel: »Josef«.

Genau so, wie ich es berichte, kam meine neue Identität zustande. Die Umstände hatten mir mein Vorgehen diktiert, und so wurde ich zu Josef Perjell, einem Volksdeutschen aus Grodno. In meiner Akte stimmte nur das Geburtsdatum. Da konnte man nichts falsch machen. Alle Menschen werden auf dieselbe Weise geboren, ein spezifisch arisches Geburtsdatum gab es nicht.

Ich, Salomon Perel, das jüdische Kind aus Peine, mußte von diesem Tage an im Verborgenen und unter falschem Namen weiterleben.

Die deutsche Ordnung funktionierte tadellos, und rasch wurde ich der 12. Panzerdivision der deutschen Wehrmacht mit ihrem Hauptfeldwebel Haas und dem Kompaniechef Hauptmann von Münchow zugeteilt.

Die Neuigkeit machte die Runde, und mehrere Männer der Einheit kreuzten auf, um mich in Augenschein zu nehmen und das deutsche Kind, das »in der Beute enthalten« war, willkommen zu heißen.

Lächeln zu müssen und einen zufriedenen Eindruck zu erwecken, wenn einen innerlich Trauer und Angst zerreißen, ist unvorstellbar schwer. Trotz ihrer Höflichkeit mir gegenüber fürchtete ich sie wie die Pest. Ich wußte, daß mich eine einzige Unachtsamkeit das Leben kosten würde.

Ich mußte mich seelisch organisieren, einen kühlen Kopf bewahren und mich mit einem Spiel vertraut machen, dessen Regeln ich nicht kannte. Aber noch ahnte ich nicht, daß dies erst der Anfang einer irrwitzigen und nicht enden wollenden Komödie des Schreckens war.

Die Nacht verbrachte ich auf dem Vordersitz eines Lastwagens. Trotz der unerträglichen Angst, die mich nicht losließ, gewann die Müdigkeit die Oberhand, und ich schlief tief und fest.

Am nächsten Morgen wurde ich in die Ausrüstungskammer geschickt, um alles Notwendige für einen einfachen Soldaten in Empfang zu nehmen. Die zahlreichen Einzelteile lagen akkurat in einem großen Militärsack. Ich war gerade mit den morgendlichen Verrichtungen beschäftigt, als ich den lauten, wiederholten Befehl zum Antreten hörte. Ich begann zu zittern, und mir wurde flau. Glücklicherweise stellten sie mich von dieser Verpflichtung frei und erlaubten mir, mich in der Nähe aufzuhalten. Der Appell umfaßte die Inspizierung der Bärte, der körperlichen Sauberkeit, der Waffen und Schuhe, die Verteilung der Post und das Verlesen des Tagesbefehls. Ich begriff, daß das Unternehmen planmäßig verlief und die Streitkräfte rasch nach Osten auf die vorgesehenen Ziele vorrückten.

Kurze Zeit später, als ich einmal zusammen mit anderen Soldaten der Kompanie antreten mußte, näherte sich mir der Feldwebel mit einer Rasierklinge in der Hand. Vor Angst bekam ich Bauchschmerzen. Auf meinem Gesicht mußte sich Verwirrung abgezeichnet haben. Er entschuldigte sich mit einem Lächeln und teilte mir gesenkten Kopfes mit, er müsse mir die Hoheitszeichen des Reiches von der Uniform abtrennen, da ich bisher weder auf den *Führer* noch auf das deutsche Volk meinen Eid geleistet hätte. Ich würde noch nicht als regulärer Soldat betrachtet werden und dürfe sie daher nicht tragen. Er tröstete mich mit dem Versprechen, daß ich bei nächster Gelegenheit meinen Eid ablegen und die Hoheitszeichen dann offiziell zurückerhalten würde.

Ich hatte Tag und Nacht nur eines im Sinn: die Flucht. Ich wollte den vordersten Frontabschnitt erreichen, die Linie überqueren und zu den Kampfeinheiten der sowjetischen Armee überlaufen. Sehr schnell wurde mir die Unmöglichkeit eines solchen Planes klar, und ich beschloß, meine Fahnenflucht auf einen günstigeren Zeitpunkt zu verschieben. Mittlerweile hatte man mir eine breite Armbinde mit der Aufschrift »Dolmetscher« verpaßt, weil ich ja Russisch sprach. Und es dauerte nicht lange, bis man mich in ein provisorisches Gefangenenlager führte, das in der Nähe errichtet worden war. Ich sollte das Verhör von einigen gefangenen Offizieren dolmetschen. In dem riesigen Lager drängten sich die von bewaffneten Soldaten bewachten Männer zu Tausenden. Sie waren kahlgeschoren und saßen im Schneidersitz ohne Wasser und Nahrung in der sengenden Sonne.

Als ich eintrat, fiel mir sogleich ein Verletzter auf, der am Boden lag und nur mit einem russischen Militärrock bekleidet war. Der ganze Unterleib war nackt, anstelle des Geschlechts klaffte eine tiefe Wunde. Er stöhnte und flehte um Wasser. Ich dachte an den russischen Soldaten, der mich vor dem Ertrinken gerettet hatte. Aber ich hatte weder die Mittel noch die Möglichkeit, ihm zu helfen. Ich flüsterte ihm ein paar tröstende Worte zu und folgte schweren Herzens den zwei deutschen Offizieren.

Wir erreichten die von hohen Bäumen umzäunte Baracke der gefangenen Offiziere. Im Gegensatz zu den unzähligen einfachen Soldaten wurden die Offiziere bevorzugt behandelt und sahen noch menschlich aus. Man befahl mir, ihnen das Reglement zu übersetzen, das auch Bestimmungen zur Aufrechterhaltung der Ordnung und die Strafen im Falle der Zuwiderhandlung enthielt.

Meine Dolmetschertätigkeit war nicht besonders schwierig, und ich staunte, wie schnell ich mich in meiner neuen Funktion zurechtfand. Bei jeder Begegnung mit meinen natürlichen Verbündeten, den russischen Gefangenen, mußte ich meinen Schmerz über ihre Niederlage und Demütigung unterdrücken. Allmählich trug mir mein tadelloses Verhalten bei den Verhören und Ermittlungen das Vertrauen und den Respekt meiner »Kameraden« ein. Sie fanden mich komisch in meiner zu großen Uniform und den riesigen Stiefeln, die mir das Aussehen eines gestiefelten Katers verliehen. Ich galt als der »jüngste Soldat der Wehrmacht«, was die Sympathie erhöhte, die ich genoß. Ständig stopften sie mich mit Süßigkeiten voll, fragten mich nach meinem Befinden und sorgten dafür, daß mir tags nicht zu heiß und nachts nicht zu kalt war. Sie begannen, mich ihren »Kumpel« zu nennen. Ich wurde für sie das Maskottchen ihrer Einheit, und sie teilten zuerst mit mir die Pakete, die sie von ihren Eltern erhielten.

Meine potentiellen Mörder, die Feinde meiner Familie und meines Volkes, sahen in mir den Talisman für ihre Unversehrtheit und ihren Sieg, während ich innerlich darum betete, sie mögen rasch sterben und den Krieg verlieren. Welch bittere Ironie des Schicksals!

»Vorwärts, nach Osten!« hieß es bei jedem Schritt, und so rückten wir jeden Tag mehrere Kilometer vor, bis der Stadtgürtel von Smolensk in Reichweite lag.

In der Einheit herrschte allgemein eiserne Disziplin. Besonders gefürchtet war Hauptfeldwebel Haas. Hauptmann von Münchow trat selten in Erscheinung. Bei jedem Stellungswechsel wurde ein mit Wein- und Champagnerflaschen vollbeladener Wagen mitgeführt. In diesem Wagen verbrachte er den Großteil seiner freien Zeit in Gesellschaft von Offizieren der Nachbareinheiten. War ich zufällig allein in seinem Bunker, nutzte ich öfter die Gelegenheit, von seinem Schreibtisch eine Zigarette zu stibitzen. Und die rauchte ich dann mit Vergnügen!

Folgende Geschichte gibt ein Bild von der strengen Disziplin: Die Einheit rückte in unabhängiger Formation vor. Sie bestand aus einigen Dutzend Fahrzeugen, an deren Spitze sich der Wagen des Hauptmanns befand. Von Zeit zu Zeit fuhren der Offizier vom Dienst oder der Feldwebel mit ihren Motorrädern den Konvoi ab, um zu kontrollieren, ob alle Mann ihre Ausrüstung komplett dabei hatten, die Hände an der Waffe lagen und der Helm korrekt saß. Unsere Kampfanzüge mußten bis zum letzten Knopf geschlossen sein. Nur in den heißen Nachmittagsstunden, wenn die Sonne stach, geruhte Herr Hauptmann sich unserer zu erinnern und gab den Befehl: »Obersten Knopf öffnen!« Die Weisung ging von Fahrzeug zu Fahrzeug. Ich saß hinten auf dem zweiten Wagen und durfte die erfreuliche Meldung weiter durchgeben. Lange Minuten verfolgte ich, was im Rest des Konvois geschah. Wie in einem Trickfilm drehte sich ein Kopf nach dem anderen, um die Anordnung weiterzusagen, und hob sich eine Hand nach der anderen zum obersten Knopf.

Während meines Aufenthalts in dieser Einheit entwickelte sich eine freundschaftliche Beziehung zwischen mir und dem Sanitätsoffizier Heinz Kelzenberg. Mein ständiger Platz im Konvoi war in seinem Wagen. Wir nahmen unsere Mahlzeiten gemeinsam ein, und rasteten wir am Straßenrand, erzählte er mir von seiner Familie, seiner Heimatstadt Köln und Deutschland im allgemeinen. Er brachte mir ein paar kölsche Volkslieder bei, und ich schloß mich ihm eng an. Er war groß, hatte ein feines Gesicht und helles, sorgfältig gekämmtes, in der Mitte gescheiteltes Haar. Er gab mir als erster den netten Spitznamen »Jupp«, den die anderen rasch übernahmen. Bald nannte mich keiner mehr Josef, sondern ich war Jupp, der kleine Dolmetscher.

Wir rückten rasch vor, besonders am Tage. Bei Einbruch der Nacht machte unsere Einheit auf einem günstigen Gelände Quartier, und wir legten die Wachablösungen fest. Die anderen trafen die Vorbereitungen für die Nacht. Der schlechten hygienischen Bedingungen wegen kam eine Unterbringung bei der Bevölkerung nicht in Frage. Wir zogen die Strohballen in den Scheunen vor, aus denen wir unsere Betten bauten.

Eines Nachts, ich schlief tief auf meinem Strohlager, fühlte ich, wie mir eine Hand über den Unterleib strich. Ich riß die Augen auf und sah Heinz' vertrautes Gesicht neben mir. Ich war verblüfft über diese sonderbare Berührung. Ich schob mich schnell zur Seite, während er versuchte, mir näher zu kommen und dabei flüsterte: »Sei still, Jupp, ich will nur ein bißchen mit dir spielen.« Ich verstand nicht, was für ein Spiel er meinte, doch widersetzte sich meine natürliche Naivität diesem unbekannten Zeitvertreib. Ich packte meine Decke und verzog mich in eine andere Ecke.

Am folgenden Tag taten wir beide so, als wäre nachts nichts

geschehen, und verhielten uns wie immer. Es verstand sich von selbst, daß ich mir nicht erlauben konnte, einen von ihnen zu verärgern. Mit jemandem einen Streit vom Zaun zu brechen, wäre Wahnsinn gewesen!

Eines Tages gingen wir in einem großen Schulgebäude in Stellung. An den Wänden hingen noch kommunistische Parolen und Farbphotos von Stalin mit seiner geliebten Tochter Swetlana auf dem Arm. Auf ihrer weißen Bluse flatterte lustig ihre rote Krawatte, und das ganze breit lächelnde Gesicht strahlte Stolz und Glück aus. Sie salutierte nach Art der Pioniere: »Stets bereit!«

Ich erinnerte mich, wie mein Vater mich einst auf den Arm genommen und sich mit mir im Kreise gedreht hatte. Ich hörte vergangenes Gelächter aufbranden. Nun war ich ein verlassenes Kind, umgeben von Handlangern des Teufels.

Ich blieb allein in einem der Klassenzimmer. Das Heimweh übermannte mich, trotzdem schlief ich irgendwann ein. Plötzlich spürte ich einen feuchten Lappen auf dem Gesicht. Der scharfe Geruch von Äther stach mir in die Nase. Heftig stieß ich den Lappen weg, bevor mich der Äther bewußtlos machte. Ich stand mit einem Satz auf den Beinen und sah Heinz vor mir, der murmelte: »So schlimm ist das doch gar nicht…«

Mittlerweile hatte ich gezwungenerweise gelernt, mich in meiner neuen Identität wie in einer zweiten Haut zu bewegen. Schreck und Heimweh ließen nach und quälten mich weniger. Der starke Überlebenswille überlagerte alles und machte den Rest zweitrangig.

Wir blieben ein paar Tage bei Smolensk. Und hier hatte ich Gelegenheit, an einem aufregenden historischen Ereignis mitzuwirken. Ich wurde in das Hauptlager der Kompanie gerufen, um das Verhör eines hohen russischen Offiziers zu dolmetschen, der soeben gefangengenommen worden war. Solche Begegnungen erfüllten mich mit heimlicher Freude, da all meine Sympathie und mein Mitgefühl den Gefangenen galt. Ich konnte ein wenig den inneren Aufruhr beschwichtigen, indem ich verstohlen eine Freundschaft pflegte oder den

38

Gefangenen etwas Nahrung zusteckte. Dies war mein armseliger Beitrag zum gemeinsamen Kampf, der darin bestand, unter solchen Bedingungen durchzuhalten. Meine neue Identität hatte mein Bewußtsein noch nicht deformiert. Meine neue Persönlichkeit begann sich eben erst herauszubilden.

Ein Motorrad holte mich ab. Nach einigen Kilometern erreichten wir die Stelle, wo die russischen Offiziere festgehalten wurden. Es war ein strohgedecktes Häuschen, dessen Bewohner geflüchtet waren. Auf den Gesichtern der dort eingesperrten unteren Chargen und einfachen Soldaten malten sich die der Gefangennahme vorausgegangenen Schrecken ab. Ich spürte ihre Angst und ihre Sorge um die unmittelbare Zukunft. Die Wachposten zeigten auf einen Chargierten, und die deutschen Offiziere – mit Oberleutnant Henmann von der 2. Kompanie der Panzerjägerabteilung der Panzerdivision an der Spitze – näherten sich einem Gefangenen und begannen unverzüglich mit dem Verhör. Ich war erstaunt, wie förmlich und respektvoll sie ihm entgegentraten. Gemeinhin zeigten sie sich den Russen gegenüber hochmütig und grausam.

Schon im ersten Stadium des Verhörs bestand an der Identität des Mannes kein Zweifel mehr: Es handelte sich um den Artillerieoffizier Jakow Dschugaschwili, den Sohn Stalins. Er saß hier fest, während sein berühmter Vater in aller Eile die Verteidigung Moskaus organisierte.

Ich konnte kaum meine Erregung verbergen. Auch die Gesichter der anwesenden Deutschen blieben nicht gleichmütig. Die Prüfung der Papiere brachte die Bestätigung. Sie baten ihn um präzise Auskünfte über die Artilleriestellungen seiner noch kämpfenden Einheit, doch er weigerte sich und machte – gemäß seinem Recht als kriegsgefangener Offizier – lediglich Angaben zur Person.

Inzwischen hatte der Divisionskommandant von dem Ereignis Meldung erhalten und ordnete die sofortige Überstellung in das Hauptquartier an. Ich fand noch Zeit, ihm zuzulächeln und ihm *dobrowo puti*, »gute Reise«, zu wünschen. Ich habe ihn nie wiedergesehen.

Der Blitzkrieg ging weiter und riß mich mit. Die Notwendigkeit, unter Erwachsenen zu leben, veränderte meine Lebensweise gründlich. Wider Willen hörte ich ihre gemeinen Reden, hörte ihre schlüpfrigen Witze, ihre Liebes- und Frauengeschichten, ihre Unterhaltungen über Eroberungen und Sex. Nicht alles, was sie sagten, war uninteressant, zumeist jedoch war es hohles, vulgäres Geschwätz. Manchmal konnten auch sie die Sehnsucht nach ihrer Familie oder das Heimweh nach Deutschland nicht verbergen. Sie trösteten sich aber mit der Aussicht auf den Sieg, den sie lange vor Einbruch des schrecklichen russischen Winters erringen würden und der sie schnell wieder nach Hause brächte.

Keiner hatte je einen Vorbehalt oder eine eigene Meinung über diesen Krieg zu äußern gewagt, in den sie alle verwickelt waren, und dies, obwohl die kugeldurchsiebten und granatsplitterzerfetzten Leichen ihrer Kameraden von Tag zu Tag zahlreicher wurden. Am Anfang waren es noch Einzelgräber, doch je näher Moskau rückte, je mehr verwandelten sich die Felder in Friedhöfe.

Wie jene, die einer Gehirnwäsche unterzogen worden waren, wiederholten sie unablässig die gleichen Phrasen. Sie bestätigten sich gegenseitig damit, hier nach fünfundzwanzig Jahren kommunistischer Herrschaft solch primitive Verhältnisse vorzufinden. Das alles war für sie ein Ausdruck von Schlamperei und Schwäche. Von wegen Paradies, Adolf Hitler könne man nur danken, der sie hierhergeführt und ihnen so die Augen über diese Regierungsform geöffnet hätte.

Der »Beweis war erbracht«, daß der *Führer* recht hatte, daß es einer lenkenden Hand bedurfte und daß diese von der Vorsehung bezeichnete Hand nur die des deutschen Reiches sein konnte. Letztlich käme das ja auch den »Iwans« zugute, wie die deutschen Herren ihre zukünftigen Vasallen nannten.

Doch manchmal war das tägliche Leben auch lustig. Ich spielte schon gut Mundharmonika und lernte ihre Lieder dazu, ich lernte Skat spielen und schunkeln, während mir das Bier die heisere Kehle hinabbrann. Aber auch in den übermütigsten

Momenten verließ mich die Angst keine Sekunde. Was würde geschehen, wenn sie die Wahrheit erfuhren?

Im Bewußtsein meines schrecklichen Geheimnisses lebte ich also mein tragisches Doppelleben weiter. Gab es unter ihnen denn keinen einzigen verläßlichen Menschen, dem ich mich anvertrauen konnte? Ich hatte das brennende Bedürfnis, mich jemandem mitzuteilen. Doch ich lernte, meine Zunge zu hüten und meine Worte zügeln und gab dieser gefährlichen Versuchung nicht nach.

Eines Tages überbrachte mir der Gefreite Gerlach den Befehl, zum Kompaniechef zu kommen. Er fragte mich, ob ich wisse, wie man vor einen Vorgesetzten tritt und grüßt. Ich antwortete, daß ich mich bemüht hätte, es zu lernen, und ich ihm keine Schande machen würde. Ich polierte meine Schuhe, klopfte meine staubige Uniform aus und rückte meine Mütze zurecht. Von widerstreitenden Gefühlen zerrissen, ging ich. Mein Herz schlug schneller. Hauptmann von Münchow fürchtete ich sehr. Er hatte stets eine verschlossene Miene, die Vorsicht und Distanz gebot. Er war behängt mit Auszeichnungen, und mitten auf der Brust prangte das Eiserne Kreuz. Er war die Verkörperung des Junkers, Sohn konservativer preußischer Adliger. Für mich war er der Inbegriff des Nazis. Befand ich mich in seiner Nähe, verkrampfte ich mich unwillkürlich. Ich fürchtete, daß er Verdacht schöpfen und mich aushorchen könnte, oder Ermittlungen anstellen ließ und dann aus meinen stammelnden Antworten die Wahrheit heraushören würde. Er hatte schon wiederholt Interesse für meine Person bekundet und fragte regelmäßig nach mir. Stets antwortete ich lächelnd, daß es mir gut ginge, doch verbarg das Lächeln schlecht die Röte, die mir ins Gesicht stieg.

Jetzt sollte ich in seinem Zelt vorstellig werden. Würde es diesmal auf ein strenges Verhör hinauslaufen, dem ich nicht gewachsen war und unter dem ich zusammenbrechen würde? Ich flehte Gott am Beistand an.

Mit der Zeit hatte ich mir eine einfache, überzeugende Geschichte zurechtgelegt, die ihr Mißtrauen zerstreuen und mir lästige Fragen ersparen sollte. Ich hatte vor zu erzählen, ich sei sehr früh Waise geworden, weshalb man mich ins Waisenhaus von Grodno gebracht habe. An meine Eltern könne ich mich kaum erinnern und wisse auch nicht viel von meiner nächsten Verwandtschaft. Kurz: Ich sei allein auf der Welt. Um glaubwürdiger zu wirken, hatte ich mir noch eine Tante ausgedacht. Die habe mich früher hin und wieder besucht, und mit der hätte ich auch deutsch gesprochen. Wohin sie das Schicksal verschlagen habe, wisse ich nicht.

Ich schritt zügig aus wie ein Soldat, der zum Appell beim Kommandanten antreten muß. Ich war in höchstem Alarmzustand. Im Zelteingang standen Wachen. Ich trat heran und salutierte zackig. Innen hörte man wohl, wie ich die Hacken zusammenschlug. Das gefiel, und ich wurde mit einem Lächeln empfangen. Hauptmann von Münchow bot mir einen Platz an, und der Gefreite Gerlach mußte Wein und Gebäck auftragen. Plötzlich kamen mir Zweifel. War dies ein Traum oder Wirklichkeit? »Hast du schon einmal Wein getrunken?« fragte mich der Hauptmann. Ich verneinte. Ich hatte meine Lektion gelernt. Ich war in der Lage, die Wahrheit zu denken, während, ohne daß ich mit der Wimper zuckte, genau das Gegenteil aus meinem Munde kam.

War der Herr Hauptmann naiv? Er hätte sich doch sagen müssen, daß ich zumindest am *Seder*abend vier Gläser Wein getrunken habe. Diese *Mizwot,* diese angenehmen Pflichten eines gläubigen Juden, mochte ich besonders gerne. Ich entsinne mich, daß mein Vater einmal an einem *Sabbat* vor dem traditionellen Essen ein Stück süße *Hala,* das weiße Zopfbrot, in ein stark alkoholisches Getränk getaucht und es mir zu kosten gegeben hatte. Ich wäre fast erstickt, Tränen traten mir in die Augen, und die Umsitzenden brachen in schallendes Gelächter aus.

Während ich an diese glücklichen Augenblicke in meinem Vaterhaus dachte, antwortete ich, daß das Essen im Waisenhaus ungenießbar gewesen sei und selbstverständlich nie ein Tropfen Wein meine Lippen benetzt habe.

»Wenn das so ist, kannst du ja mal einen guten Wein, einen deutschen Mosel probieren.« Der Wein rann angenehm die Kehle hinab, das Gebäck war mürbe und köstlich. Was für ein schöner Krieg für den Herrn Hauptmann, dachte ich.

Es entspann sich eine lockere Unterhaltung. Hauptmann von Münchow äußerte nicht den leisesten Zweifel oder Verdacht, als ich ihm mein Leben so erzählte, wie ich es mir vorgenommen hatte. Ich war beinahe erstaunt darüber. Ich meine sogar, diese Geschichte machte mich ihm sympathischer. Er lobte meinen Mut, mein tadelloses Betragen, meine ausgezeichnete Disziplin. Dann machte er mir einen verblüffenden Vorschlag.

Er besaß ein großes Gut in Stettin in Pommern, war sehr reich, hatte aber keine Kinder. Und da ich ihm so gefiel, wollte er mich adoptieren… »Du wirst dann kein Waisenkind mehr sein und in deinem neuen Vaterland ein schönes Zuhause bekommen.«

Ich fiel aus allen Wolken. Etwas in mir flüsterte: »Wie kannst du dem zustimmen, du hast doch Eltern! Wäre das nicht ein Verbrechen an ihnen?«

Mein Gewissen rebellierte, und ich zögerte mehrere Sekunden lang. Die widersprüchlichsten Gedanken schossen mir durch den Kopf. Dann sagte ich: »Ich möchte gern.« Es gelang mir sogar, glücklich auszusehen und zu lächeln. Er bemerkte nicht, konnte gar nicht bemerken, was in diesen Augenblicken wirklich in mir vorging. Äußerlich schien ich ruhig und erfreut, in meinem Innern aber tobte ein Sturm. Schmerz, Heimweh, Tränen drohten mich zu überwältigen…

Die Adoption sollte unmittelbar nach dem Sieg, nach der ruhmvollen Heimkehr der Truppen ins Reich in die Wege geleitet werden. Ich würde meinen Adoptivvater auf seinem Gut wiedertreffen, wo man die notwendigen Formalitäten erledigen wollte.

Mein ›zukünftiger Vater‹ unterhielt sich noch eine Weile herzlich mit mir. Als er mich verabschiedete, umarmte er mich und sagte: »Du wirst Josef von Münchow heißen. Ich werde meine Frau von deiner Zustimmung in Kenntnis setzen. Sie wird überglücklich sein und dir bestimmt bald schreiben.«

Ich trat an die frische Luft hinaus, noch immer ganz benommen und lautlos nach Vater und Mutter rufend.

Mit der Zeit, so mochte es scheinen, ließ auch ich mich von der gespannten Erwartung des nahen und unbestreitbaren Sieges anstecken. Bevor ich nachts in den Schlaf fiel, versuchte ich mir krampfhaft dieses Gut und meine Adoptivmutter vorzustellen, aber ich dachte auch an meine eigene Familie. Würde ich sie je wiedersehen? »Wirst du wieder Salomon Perel werden, oder wirst du Josef von Münchow bleiben?« fragte ich mich. Ich wundere mich noch heute, daß ich über all dem nicht verrückt geworden bin.

Dennoch hörte ich nicht auf, darüber nachzudenken, wie ich eine Flucht bewerkstelligen könnte. So hoffte ich, an die vorderste Frontlinie zu gelangen und zu den Sowjets überzulaufen. Ich wußte, daß mein Platz auf der anderen Seite war und ich durch diese »Fahnenflucht« die Opfer der Nazis würde rächen können.

Eines Tages bot sich mir die Gelegenheit – zumindest glaubte ich es. Man befahl mir, mich unverzüglich zu einer Stellung zu begeben, die man soeben erobert hatte, um einen von den überstürzt geflohenen Russen zurückgelassenen Sender abzuhören, der noch intakt war und Meldungen von der anderen Seite empfing. Die Deutschen erhofften sich Aufschluß über die feindlichen Angriffspläne, um so ihren ohnehin raschen Durchbruch noch zu beschleunigen. In der Umgebung hörte man anhaltendes Maschinengewehrfeuer. Die Gräben führten zufällig an die Position heran.

Ich blickte mich verstohlen um, schätzte meinen Weg ab und plante meine Flucht. Vor mir erstreckte sich offenes, leicht abschüssiges Gelände, auf dem am anderen Ende, in etwa zweihundert Metern Entfernung von mir, ein dichtes Birkenwäldchen stand.

Ich wurde immer aufgeregter. Nur noch zweihundert Meter bis zu meiner Befreiung. Wie ich den ersten Schritt tun sollte,

Sally Perel (3.v.l.) als Dolmetscher neben Hauptmann von Münchow bei einem Verhör russischer Offiziere.

wußte ich nicht. Ich war von deutschen Soldaten umgeben, die mich scharf beobachteten, aber nicht, weil sie mich im Verdacht hatten, fliehen zu wollen, sondern weil sie fürchteten, mir könnte etwas zustoßen. Sie wiederholten mir ohne Unterlaß, mich nicht auf den Stahlhelm zu verlassen und nur nicht meinen Kopf aus dem Graben zu stecken. Ringsum lagen frische Gräber, die die noch warmen Leichen der deutschen Soldaten bedeckten. Darüber aus Birkenzweigen zusammengeschlagene Kreuze mit der Inschrift »Gefallen für Führer, Volk und Vaterland«. Wir erreichten den Sender, und ich wurde gebeten, den Hörer zu nehmen und das Gehörte zu übersetzen. Ich zögerte. Sollte ich Wort für Wort übersetzen oder das Gesagte entstellen, damit es keinen Informationswert hätte?

Glücklicherweise war es ohnehin unmöglich, im unaufhörlichen Gefechtslärm ein Wort zu verstehen. Ich konnte zwar ein paar Wörter aufschnappen, die aber keinen Sinn ergaben. Eifer und Interesse vortäuschend, bat ich den Verbindungsmann, den Sender besser einzustellen, begriff aber an seinem Kopfschütteln und seinen Flüchen, daß da nichts zu machen war.

Die Gruppe beschloß, mich augenblicklich zum Stützpunkt zurückzubringen. Meine inständigen Bitten, mich doch noch eine Weile hierzulassen, fruchteten nichts. Ich schützte vor, ich sei zum ersten Mal an der Front und wolle das Geschehen noch ein wenig verfolgen. In Wahrheit plante ich, den Einbruch der Nacht abzuwarten und bei der ersten Gelegenheit in den Wald hinüberzukriechen. Doch sie ließen sich nicht erweichen und forderten mich mit Nachdruck auf, mit ihnen zurückzugehen. »Die Feindseligkeiten können jeden Moment wieder einsetzen, dann ist die Hölle los. Nur ein Dummkopf würde hierbleiben, wenn er nicht muß«, sagte einer lächelnd.

Es war wirklich schwierig, ihnen zu entkommen. Ich begnügte mich also damit, zu beten und auf eine günstigere Gelegenheit zu hoffen.

Enttäuscht kehrte ich zu meiner Einheit zurück. Die Männer interessierten sich für alle Einzelheiten der gefährlichen Mission, deren Hauptperson ich gewesen war. Ich gab mächtig an, und das gefiel ihnen. So stieg ich in ihrer Wertschätzung noch.

Ein typischer Vorfall macht deutlich, wie sehr sie mich achteten: Ich hatte eine kleine Auseinandersetzung mit einem in der Einheit ziemlich unbeliebten Soldaten, der sich nie wusch und ständig schlecht roch. Wir wurden laut, und irgendwann brauste er auf und beschuldigte mich, mich wie ein Jude aufzuführen. Die Reaktion der anderen ließ nicht auf sich warten. Sie bespritzten ihn mit Wasser, beschimpften ihn wegen seiner Unverschämtheit und verlangten nachdrücklich, daß er sich bei mir entschuldige. Ich war so erstaunt wie verwirrt. Worin bestand »diese Schuld«, die mir wieder einmal vor Augen führte, wie sehr meine Sicherheit, mein Leben an einem seidenen Faden hing?

Großer Gott! Wenn sie gewußt hätten, daß dieser Schmutzfink recht hatte!

Im Laufe der Woche erfaßte die an der Ostfront kämpfenden Soldaten erste Bitterkeit. Dieser Feldzug war lang und mühsam. Sie hatten einen leichten Sieg erwartet und schilderten genüßlich die Blitzniederlagen der Polen und Franzosen. Geifernd rühmten sie die Vergnügen dieser netten Kriege. Aber die Pläne verwirklichten sich nicht wie vorgesehen. Bald mußten sie erfahren, daß die Meldung des Armeekommandos, die sowjetische Führung in Moskau habe abgedankt, falsch war, und daß Stalin persönlich die Verteidigung der Stadt in die Hand genommen hatte. Die Beton- und Stahlbefestigungen, die man um Leningrad gebaut hatte, hatten ebenfalls standgehalten, überdies erreichten uns verwirrende und widersprüchliche Nachrichten aus der Stadt. Zu allem Unglück kündigte sich der russische Winter an. Die Soldaten hatten Napoleons Niederlage von 1812 und die Worte Puschkins nicht vergessen:

> *War es zu glauben?*
> *Moskau niedergebrannt,*
> *Und so den Franzosen übergeben!*

Die Angst saß ihnen im Nacken, und dies um so mehr, als das Oberkommando und die zuständigen Stellen für einen Winterfeldzug keinerlei Vorsorge getroffen hatten.

Die Wehrmachtsverbände verlangsamten zwar ihren Vorstoß, rückten jedoch weiter vor und zermalmten alles, was ihnen unter die Räder kam. Ich entsinne mich, traurig mitangesehen zu haben, wie die stahlkettenbewehrten Zugmaschinen den reifen Weizen auf den goldenen Feldern niederwalzten. Und entzückt beobachtete ich, wie die Halme sich wieder aufzurichten versuchten. Manchen gelang es, als wollten sie sagen: »Auch wir sind nicht bereit, uns dem Eroberer zu beugen. Wir werden es dem Besatzer nicht leichtmachen.« Und ich auch nicht! Mich, das jüdische Kind Salomon, werden sie nicht so leicht unterkriegen!

Mittlerweile hatten wir in einem großen russischen Dorf nordwestlich von Smolensk Quartier gemacht. Man beschloß, uns drei Ruhetage zu gewähren. Die »alten Organisierer« der Einheit hatten, Gott weiß woher, ein Schlachtschwein aufgetrieben. Sie beschafften auch große Kochkessel, Eimer und Zuber für das gemeinsame Bad, die Körperpflege und die Instandhaltung der Ausrüstung. Wir waren schweiß- und staubbedeckt. Einige Soldaten entdeckten eine verlassene Bauernkate und verwandelten die große, mit einem riesigen Herd ausgestattete Küche in ein Badezimmer.

Das Wasser in den Kesseln begann zu sieden, und schnell war die Küche von Dampfschwaden und dem Gesang der Badenden erfüllt. Man badete gemeinsam, gruppenweise.

Selbstverständlich konnte ich meiner Beschneidung wegen am Gemeinschaftsbad nicht teilnehmen. Die furchtbaren Selektionsszenen waren mir noch im Gedächtnis und werden es immer bleiben. Unter verschiedenen Vorwänden lehnte ich die Aufforderung, mich dieser oder jener Badegruppe anzuschließen, ab, und wartete geduldig, bis der letzte Mann die Küche verlassen hatte.

Versehen mit einem Handtuch, einem Stück Seife und sauberer Unterwäsche betrat ich den Raum und verriegelte sorgsam die Tür. Ich stellte mich in einen Zuber, das heiße Wasser reichte mir bis an die Knie. Draußen spielte ein Soldat Mundharmonika, und während ich badete, sang ich fröhlich eine Melodie aus dem *Bajazzo* mit.

Plötzlich schrak ich zusammen. Dicht neben mir flüsterte jemand. Ohne daß ich noch recht begriffen hatte, was vorging, wurde ich heftig von hinten umarmt. Ich spürte, wie sich ein nackter Körper an mich preßte. Ich erstarrte. In meinem Gehirn schrillten tausend Alarmglocken. Als das erigierte Glied in mich eindringen wollte, machte ich einen Satz, als hätte mich eine Schlange gebissen. Es wäre klüger gewesen, so stehenzubleiben, den Rücken zu zeigen, doch instinktiv hatte ich mich aus der Umarmung gelöst. Mit einem Sprung war ich aus dem Zuber und drehte mich, nackt wie ich war, herum.

Vor mir stand Heinz Kelzenberg, der Arzt in spe. Sein Gesicht war dunkelrot angelaufen, es spiegelte Verwirrung und die Enttäuschung darüber wider, sein brennendes Begehren nicht stillen zu können. Er lächelte gezwungen. Tiefe Stille herrschte im Raum. Minutenlang standen wir uns so gegenüber, nackt wie am ersten Tag.

Was geschehen mußte, geschah. Sein Blick glitt an meinem Körper abwärts und blieb auf der Höhe des Geschlechts hängen. Er stutzte, und verblüfft fragte er mich: »Bist du Jude, Jupp?« Eine tödliche Angst lähmte mich. Ich murmelte: »Mama, Papa, kommt, helft mir!« Ich brach in Tränen aus: »Bring mich nicht um! Ich bin jung und will leben!«

Die Bilder von den Greueln, die ich seit einigen Tagen mitansehen mußte, überstürzten sich in meinem Kopf. Wir hatten uns in einem kleinen russischen Dorf befunden. Die Männer der Feldgendarmerie, die zu unserer Einheit gestoßen waren, befahlen den Dörflerinnen, alle Katzen in einem verlassenen Haus einzusperren. Und dann begann das Gemetzel. Niemals werde ich vergessen, mit welch sadistischer Lust sie durch die halbgeöffneten Fenster auf die armen Tiere schossen. Die Katzen versuchten, den pfeifenden Kugeln zu entkommen, flüchteten sich in die hintersten Winkel, machten riesige Sprünge und miauten grauenhaft, bis Todesstille eintrat.

Nun stand ich nackt und wehrlos vor einem deutschen Offizier, war ein Spielball in den Klauen einer gigantischen Vernichtungsmaschinerie und wartete auf das Todesurteil, das vielleicht mit einem Revolver vollstreckt werden würde, wie bei den Katzen. Und wenn er mich nicht auf der Stelle erschoß, würde er mich eben diesen Feldgendarmen ausliefern. Sie hatten Routine darin, verdächtigen Bürgern die Kleider vom Leib zu reißen und den Männer ein Schild mit der Aufschrift »Ich war Partisan« um den Hals zu hängen und den Frauen den Satz »Ich bin ein Flintenweib« an die Brust zu heften.

Danach knüpften sie sie auf Marktplätzen oder an den am Straßenrand aufgestellten Galgen auf. Das sollte die Bevölkerung abschrecken, sollte verhindern, daß sie sich den Partisanen anschloß, die sich trotz der Anwesenheit der Deutschen zu organisieren begonnen hatten.

Beim Schreiben fallen mir wieder die Überlegungen ein, die dem Tod vorausgehen, all die Minuten, die ich für meine letzten hielt... Meine Hand zittert, und ich muß die Feder niederlegen, um mich zu beruhigen.

Heinz näherte sich mir, umarmte mich zart, zog meinen Kopf an seine Brust und sagte sanft: »Weine nicht, Jupp, man darf dich draußen nicht hören! Ich tue dir nichts und verrate auch dein Geheimnis den andern nicht. Weißt du, es gibt noch ein anderes Deutschland!«

Bevor Heinz den Raum verließ, mußte ich ihm versprechen, mich niemandem zu offenbaren, vor allem nicht meinem zukünftigen Vater, Hauptmann von Münchow.

Ich beendete mein Bad, trocknete meine Tränen und verließ gestärkt die Küche. Ich hatte einen Sieg über das Böse davongetragen. Meine Vereinsamung und tiefe Not waren nun bei einem wahren Freund aufgehoben. Er hatte mir die Hand gereicht, als ich den Rest Vertrauen in die Menschheit verlieren wollte, und ich entdeckte erstaunt, daß nicht alle, die mich umgaben, potentielle Mörder sein mußten. Und ich begriff, daß nicht alle Soldaten überzeugte Nazis sein mußten.

Weitab von den anderen setzte ich mich später mit Heinz unter einen Baum und löste ihm das Rätsel. Ich erzählte ihm alles von Anfang an, sprach von meiner Familie und unserer Vertreibung aus Peine, kurz: verheimlichte ihm nichts von dem, was mir bisher widerfahren war. Er hörte sich mitfühlend mein tragisches Schicksal an. Ich war sechzehn, er dreißig Jahre alt, und meine Einsamkeit rührte ihn tief. Die sexuellen Belästigungen hörten auf, und es entstand eine echte und herzliche Freundschaft. Er versprach mir, mich nach dem Krieg mit nach Hause zu nehmen. Wir schworen, nichts von meinem Geheimnis und meinem dramatischen Schicksal zu verraten.

Einige Wochen waren vergangen, als ein furchtbares Unglück geschah. Der rasche Vormarsch der Wehrmachtstruppen kam irgendwo in der Umgegend der Moskauer Vorstädte zum Stillstand. Fortan gab es hauptsächlich Stellungskämpfe. Die letzten Herbsttage waren gekommen.

Die Oberste Heeresleitung entschied, daß man sich mit der Übergabe Leningrads – das seit Monaten belagert wurde – begnügen müsse, wenn man schon Moskau augenblicklich nicht einnehmen könne. Meine Division wurde also nach Norden verlegt, um an dieser Operation teilzunehmen. Unterwegs kam das Gerücht auf, daß wir alle, um wieder Kraft zu schöpfen, Fronturlaub erhielten und nach dem Sieg nach Frankreich versetzt würden. Man hatte die Meldung in Umlauf gebracht, um die Soldaten anzufeuern. Nun begannen endlose Diskussionen über französische Weine, die berühmte französische Küche und die Frauen, die nicht ihresgleichen hatten auf der Welt. Jeder malte sich die tollkühnsten Geschichten aus. Ich bedaure, damals diese unglaublichen Phantasien nicht aufgeschrieben zu haben. Beim Zuhören träumte auch ich von Frankreich und seinen Wundern, und auch ich wäre lieber dort gewesen. Ich verspürte nicht die geringste Lust, weiter an der Front zu bleiben, wo ich unablässig Gefahr lief, an einem Granatsplitter oder einem Irrläufer zu sterben. In der Uniform meiner Feinde durch eine Kugel meiner Verbündeten zu sterben! Welch groteske Tragödie! Doch was macht es schon für einen Unterschied, durch welche Kugel man stirbt!

Kurz darauf erreichten wir die Wälder um Leningrad und begannen, uns zum Angriff zu rüsten. Man brachte »Goliaths«, um die Befestigungen der Stadt zu durchbrechen. Diese »Goliaths«, ein neues, mysteriöses Kriegsgerät, waren winzige, dynamitgefüllte Spähwagen, die in die befestigten Bunker eindringen und dann dort explodieren sollten.

Der Mißerfolg hätte nicht größer sein können. Sie versanken alle ohne Ausnahme in den tiefen Sümpfen um Leningrad. Zudem hatten die Russen ebenfalls etwas »erfunden«, eine einfache, doch sehr wirkungsvolle Maschine: den »Eisernen

Iwan«, ein zweimotoriges gepanzertes Flugzeug, das in den hellen Leningrader Nächten in lautlosem Tiefflug über die deutschen Konvois strich und Verheerungen anrichtete. Nachdem es einige Bomben abgeworfen hatte – die stets ihr Ziel trafen –, schoß es mit leichten Maschinengewehren aus dem Hinterhalt präzise weiter. Man befahl uns, aus den Fahrzeugen zu springen und das Feuer zu eröffnen, doch es war sinnlos. Ich erinnere mich noch genau an diese Szenen, die sich nahezu jede Nacht wiederholten, an die Schreie, das Laden der Gewehre und den Beschuß durch die Flugzeuge über unseren Köpfen. Bei solchen Zwischenfällen war mir jeder beliebige große Gegenstand als Schutz recht, ich duckte mich dahinter und beobachtete das surrealistisch anmutende Schauspiel. Doch trotz aller Mißerfolge und Verluste ließen sich die Deutschen von der Einnahme Leningrads nicht abbringen. Die Einheit bezog in Schlüsselburg Quartier, von wo aus man die leuchtenden Dächer der Stadt sehen konnte. Wieder befand ich mich auf einer dicht an der Front verlaufenden Linie. Überall wurden verstärkte militärische Vorbereitungen getroffen. Schweres Geschütz wurde hinten in Stellung gebracht, während man die Panzer nach vorn schob und jeder sich seinen eigenen Graben aushub. Unteroffiziere wurden zum Kommandoposten beordert, um Weisungen entgegenzunehmen. Die Stunde X war auf den Tagesanbruch des folgenden Morgens festgesetzt worden. Unter den Soldaten stiegen Nervosität und Spannung: Alle wollten rasch siegen, am Leben bleiben und bis zu den versprochenen romantischen Ferien in Frankreich durchhalten.

In der Nacht warf der »Eiserne Iwan« von Marschall Woroschilow unterzeichnete Flugblätter ab, in denen die Sowjets ankündigten, die Stadt bis zum letzten Überlebenden zu verteidigen. Die Feindhandlungen verliefen nicht mehr so, wie es sich die Deutschen gedacht hatten. Eine Stunde vor Beginn unseres Angriffs eröffneten die Sowjets das Feuer. Unsere Stellungen wurden unter massiven Mörser- und Granatbeschuß genommen, was Menschenleben kostete und einen erheblichen Materialverlust verursachte. Wie unter Schock verharrte ich reglos auf dem Fleck und kam nicht auf die Idee, mich in Sicherheit zu bringen. Heinz sah die Gefahr, in der ich schwebte. Mit einem Satz warf er sich auf mich und zog mich gewaltsam unter einen neben einem hohen Gebäude stehenden Panzer. Unter ihm lagen bereits die Panzerfahrer in ihren rußgeschwärzten Uniformen. Wir schoben sie ein wenig beiseite, um noch Platz zu finden. Die Luft war voller Rauch und beißendem Brandgeruch.

Wenige Minuten später wurde Heinz zur Versorgung der Verwundeten gerufen. Bevor er ins Freie trat, befahl er mir, mich nicht von der Stelle zu rühren. Ich schaute ihm nach, wie er gebeugt zu den Verwundeten lief. Plötzlich ein entsetzlicher Knall und ein gleißender Lichtstrahl. Ich drückte mein Gesicht an die Erde, bedeckte meinen Kopf mit den Armen. Schreie zerrissen die Luft. Ich hob den Kopf und sah, nicht weit von mir, Heinz auf dem Rücken liegen, das Gesicht blutüberströmt. Ich kroch zu ihm und nahm ihn in die Arme. Jemand versuchte, die tiefe Wunde an seinem Hals zu schließen und die Arterie zuzuhalten, aus der das Blut sprudelte. Vergeblich. Seine weit aufgerissenen Augen starrten in die meinen, und er murmelte etwas, was ich nicht verstehen konnte. Er verlor das Bewußtsein und starb in meinen Armen. Wollte er mir Adieu sagen oder sich für die sexuellen Belästigungen entschuldigen? Ich werde es niemals erfahren. Aber ich hatte ihm ja ohnehin schon verziehen, und bis zu meinem letzten Tag werde ich seiner voller Hochachtung gedenken.

Heinz' Tod ließ mich verwaist zurück. Von neuem fühlte ich mich bitter einsam. Ich hatte meinen einzigen Verbündeten verloren. Mit diesem jähen Tod gingen auch Hoffnung und moralischer Beistand dahin, die ich doch so dringend brauchte. Uns hatte ein Geheimnis verbunden, und unsere Beziehung war von absolutem Vertrauen geprägt gewesen. Das alles hatte er mit ins Grab genommen. Ich konnte Heinz' Tod nicht verschmerzen. Ich hatt' einen Kameraden…

Viele Soldaten wurden verletzt, andere waren gefallen, und

ein großer Teil des Materials war zerstört. Kaum eine Stunde nach Beginn des Angriffs wurde der Befehl »Alles zurück in die Fahrzeuge!« gegeben.

Der Rückzug. Zum ersten Mal sahen sich die stolzen Eroberer zum Rückzug gezwungen. Niemand legte mehr Wert auf äußere Erscheinung, Disziplin oder einen obersten Knopf, der geschlossen sein mußte. Alles rannte durcheinander und suchte zusammen, was an Ausrüstung liegengeblieben war.

Dann setzte Hals über Kopf die Flucht vor den Kanonen ein. Ohne nachzudenken, beschloß ich, jetzt zu fliehen. Ich wollte warten, bis der letzte Soldat außer Sichtweite war, und dann gemütlich mit erhobenen Armen zu den vorrückenden Russen überlaufen. Das Herz schlug mir bis zum Hals angesichts der Möglichkeit, die sich mir da bot. Doch wieder einmal hatte es das Schicksal anders vorgesehen…

Ich versteckte mich in einer Baracke, hoffend, daß meine Abwesenheit in dem allgemeinen Durcheinander nicht auffalle. Durch die Astlöcher in der Barackenwand beobachtete ich das Chaos, in dem sich der Abzug der Kolonnen vollzog. Man machte den Kommandowagen Hauptmann von Münchows zur Abfahrt fertig. Plötzlich schrie mir der Gefreite Gerlach zu: »Los komm, Jupp, schnell! Jetzt ist doch keine Zeit zum Scheißen!« Mich länger verborgen zu halten oder zu fliehen war nicht möglich, mehrere Augenpaare hatten sich mir bereits zugewandt. Also ging ich hinaus und machte mich an meinem Hosenschlitz und an meinem Gürtel zu schaffen, als hätte ich soeben ein dringendes Bedürfnis verrichtet. Man warf mir einen Stahlhelm zu, und als ich im Wagen des Hauptmanns saß, hielt mir dieser meinen Leichtsinn vor und fügte hinzu, daß man mich streng bestraft hätte, wäre ich Soldat gewesen. Aber ein unmerkliches Lächeln bedeutete mir, diese Verwarnung nicht allzu ernst zu nehmen.

All meine Fluchtversuche waren bisher gescheitert. Sie waren überall hinter mir her, in Peine, in Lodz, in Grodno, beim Aufspüren des russischen Senders und jetzt in Schlüsselburg. Nun gut. Ich verlor die Hoffnung trotzdem nicht…

Leningrad wurde nicht eingenommen. Die Bürger der Stadt, die Soldaten und die Verteidiger verdienen unsere uneingeschränkte Bewunderung.

Unsere Einheit wurde in ein Nachbarland verlegt: nach Estland. Dort sollten wir wieder zu Kräften kommen, sollten die gelichteten Reihen wieder aufgefüllt und die Ausrüstung komplettiert werden.

Ich wurde als Dolmetscher der Heeresverpflegungsdienststelle 722 Reval zugeteilt, die ihren Sitz im Zentrum der Hauptstadt Reval hatte (heute Tallin). Wir waren hingerissen von der Schönheit der Häuser, der Paläste und Blumengärten. Die Einheit 722 hatte ein herrliches Stadtgebäude bezogen. Die Mannschaften wohnten zu zweit in einem Zimmer, den Offizieren hatte man geräumige Wohnungen zugestanden. Aufgabe der Einheit war es, die Verpflegung für die gesamte Nordfront zusammenzustellen und zu liefern. Mit Waren gefüllte Lastwagen trafen aus vielen Gebieten ein. Mit Hilfe russischer Kriegsgefangener wurden die Waren in Eisenbahnwaggons verladen, die an die Front fuhren.

Zur Einteilung von Arbeitsgruppen wurde in dem kleinen Gefangenenlager jeden Morgen ein Appell abgehalten. Ich mußte die Tagesbefehle, die Art der Arbeiten, die Disziplinarvorschriften und Strafen im Falle von Nachlässigkeit oder Diebstahl übersetzen.

Es handelte sich um Elitegefangene, Intellektuelle von angenehmem Äußeren, die sich in guter körperlicher Verfassung befanden. Zwischen ihnen und mir bahnte sich schnell eine freundschaftliche, verständnisvolle Beziehung an. Mehr als einmal schloß ich die Augen, wenn einer eine lange Wurst in seine weite Hose steckte oder ein großes Stück Rauchfleisch verschwinden ließ. Ich lächelte bloß und ging zur Tagesordnung über.

Einmal kam es zu einem kleinen Zwischenfall mit einem von ihnen. Natürlich wurde auch er nur Iwan genannt – so wie später die Russen alle Deutschen Fritz nannten, als sich die Situation umgekehrt hatte. Wir begegneten uns während

einer Pause in einer Baracke des Güterbahnhofs. Und da machte er eine sonderbare Bemerkung: »Ich stelle interessiert fest,
daß Sie als einziger kein rollendes ›r‹ sprechen. Bei Ihnen
wird daraus ein kehliges ›kh‹, wie es für Juden typisch ist. So
sagen Sie zum Beispiel *Abkhascha* anstatt *Abrascha*!« Ohne
mit der Wimper zu zucken, erwiderte ich, daß ich nicht ver-
stünde, worauf er hinauswolle, und wies ihn an, mit seinen
Kameraden die Arbeit wiederaufzunehmen. Jeder ging seiner
Wege, und das Thema wurde nicht wieder angeschnitten. Aber
es war offensichtlich, daß dieser Mann meine wahre Herkunft
erraten hatte. Der Gedanke, daß er in anderen Köpfen Verdacht
säen könnte, beunruhigte mich heftig. Aber ich hatte gelernt,
mich vor der tödlichen Bedrohung, die ständig über mir
schwebte, zu wappnen und mit ihr umzugehen: Ich ließ letzt-
endlich gegenüber den Russen niemals einen Zweifel daran
aufkommen, daß ich ein deutscher Soldat sei.

In Reval befreundete ich mich mit einem reizenden jungen
Mädchen, das ein paar Jahre älter war als ich, Lee Moreste
hieß und in der Viruväliakstraße 3 wohnte. Ich ging praktisch
jeden Abend zu ihr. Eines Abends fragte mich ihre Mutter:
»Warum behandelt ihr Deutschen die Juden so grausam?«

Mir gingen viele Gedanken durch den Kopf in diesem Augenblick, vor allem der, mich zu offenbaren. Aber ich schwieg
und entschied kurzerhand, in ihren Augen ein Deutscher zu
bleiben. Die Situation war gefährlich, ihre Reaktion nicht vor-
auszusehen. Auf ihre Frage nun antwortete ich, daß mich dies
auch nicht befriedigte, es aber schwierig wäre, etwas zu än-
dern. Wegen dieser so berechtigten Frage werde ich Frau Moreste nicht vergessen. Ihre Tochter Lee werde ich nicht vergessen, weil sie die erste Frau in meinem Leben war.

Von Zeit zu Zeit besuchte mich Hauptmann von Münchow
oder erkundigte sich nach mir. Er freute sich zu hören, daß
alles in Ordnung sei, mir Aufenthalt und Arbeit gefielen. Die
Neuigkeit, die er aber jetzt überbrachte, gefiel mir weniger.
Es hatte sich nämlich herausgestellt, daß die Armee auf mich
als einen Minderjährigen verzichten mußte, was ich heftig

bedauerte. Die Einheit hatte mich schnellstens »heim ins Reich« zu schicken. Eine Delegierte, die mich in »mein neues Vaterland« begleiten sollte, würde binnen kurzem eintreffen.

Ich hatte niemals auch nur eine Sekunde gewünscht, in das Innere des Reichs zu gelangen, wo es von Gestapo und Polizei wimmelte. Das war, als würfe ich mich in die Höhle des Löwen. Ich wußte, daß ich mich dort weder verstecken noch bei Gefahr fliehen konnte. Ich hörte kaum Herrn Hauptmann seiner Befriedigung darüber Ausdruck geben, daß mir die Rückkehr ins Vaterland vergönnt sei. Nur mit Mühe konnte ich mir ein unechtes Lächeln abringen und ein paar Dankesworte murmeln.

Anscheinend hielt er meine Verwirrung für die Folge der angenehmen Überraschung. Jetzt sollte ich zunächst zu meiner Einheit zurückkehren, auf den Überstellungsbefehl und die notwendigen Entlassungspapiere warten und mich von allen verabschieden.

Die russischen Gefangenen bedauerten meine überstürzte Abreise aufrichtig. Die Einheit 722 gab mir als Wegzehrung mehrere Flaschen alten Likörs und einen hervorragenden französischen Cognac mit. In Taununs, wo sich meine Einheit ausruhte und die entscheidende Frühjahrsoffensive vorbereitete, erhielt ich ein militärisches Führungszeugnis, das vom Adjutanten des Divisionskommandeurs, von Oberstleutnant Becker unterzeichnet war. Der Inhalt des Zeugnisses erstaunte mich; ich werde die Absicht, die ihm zugrundelag, wohl nie erraten. Handelte es sich um einen bloßen Irrtum, oder wollte man mir ganz bewußt helfen? Ich stellte keine Fragen. Als mich die Deutschen gefangennahmen, hatte ich erklärt, daß all meine deutschen Papiere bei einem deutschen Artilleriebeschuß vernichtet worden seien und ich mich außerstande sähe, meine Identität zu beweisen. Auf dem Dokument, das man mir aushändigte, stand schwarz auf weiß: »Wir bestätigen, daß der Volksdeutsche Josef Perjell infolge eines russischen Artillerieangriffs sämtlicher Ausweispapiere verlustig ging.« Aus diesem Satz ging hervor, daß ich ihnen meine arischen Ausweispapiere gegeben und sie erst danach verloren hatte. Man konnte ihre Echtheit folglich nicht anzweifeln. Weiterhin bescheinigte das Dokument meine beispielhafte Führung, meinen Scharfsinn und meine Tapferkeit an der Front. Ferner wurden die zuständigen Stellen gebeten, mir bei der Eingliederung in meinen neuen Wohnort behilflich zu sein.

Es war augenfällig, daß eine derartige militärische Bescheinigung mehr wert war als alles andere. In der Folgezeit fühlte ich mich dank der Respektbezeugungen und der Achtung derer, die dieses Zeugnis zu Gesicht bekamen, wohler in meiner Haut.

Unterdessen hatte mir der Offizier, der den Oberbefehl über die Stadt Reval hatte, das Eintreffen der Reisebegleiterin mitgeteilt, die mich in mein ›Vaterland‹ bringen sollte.

Die Würfel waren gefallen. Ich mußte die Männer verlassen, denen ich mich eng angeschlossen hatte. Ihrer herzlichen Art wegen, die sie mir gegenüber an den Tag legten, hatte ich zwar gelernt, sie zu mögen, innerlich aber haßte und fürchtete ich sie, weil sie Wehrmachtssoldaten waren und Verbrechen begingen. Hauptmann von Münchow empfing mich zu einer letzten Unterredung, bei der ich ihm versprechen mußte, mit seiner Frau brieflich in Verbindung zu bleiben. Er bat mich, ihn schnell meinen Wohnort wissen zu lassen und wünschte mir gute Reise.

Wie hatte ich es nur zuwege gebracht, mehr als ein Jahr in einer Einheit der deutschen Wehrmacht zu leben, die für ihre äußerste Strenge, ihre Zucht und ihre peinlichen Vorschriften bekannt war? Niemand hatte versucht, meine wahre Herkunft zu ergründen oder hatte auch nur einen Zweifel angemeldet, niemand hatte nach meinen Originalpapieren (meine »Heimatstadt« Grodno lag ganz in der Nähe) oder nach den Motiven gefragt, warum ich mich dem Strom der Flüchtlinge angeschlossen hatte, die vor dem deutschen Durchbruch das Weite gesucht hatten. Warum hatte man mir keine Fragen gestellt, mich nicht verdächtigt, hatte keine Ermittlungen ausgelöst? Notgedrungen fand ich mich im Büro des Militärgou-

verneurs der Stadt ein, wo ich der Sekretärin der Eingliede-
rungsbehörde des Reichsjugendamtes von Berlin begegnete.
Sie war etwa fünfunddreißig Jahre alt, blond, attraktiv und in
eine schöne, beigefarbene Uniform gekleidet. Auf ihrem breit-
krempigen Hut prangte deutlich sichtbar ein Hakenkreuz, und
auf ihrem Mantel trug sie mehrere Parteiabzeichen. Ich verspürte ein ärgerliches Ziehen im Bauch. Ich übergab ihr mein
militärisches Führungszeugnis, das ihre Bewunderung her-
vorrief. Eine Mauer war gefallen, und wir wurden sofort vertraut miteinander. Ich hörte sie den Zweck ihrer Mission erklären, doch verstand ich in meiner Verwirrung nur die Hälfte.
Wir verabredeten uns, um für mich Zivilkleidung und einige
persönliche Dinge einzukaufen.

Am nächsten Tag setzten wir uns ohne weitere Formalitäten
in einen komfortablen Reisezug, der Soldaten auf Fronturlaub
in die Heimat beförderte. Die Abteile waren fast leer, die
Glühbirnen dick mit Farbe übermalt. Kein Laut war zu hören
und die Stimmung gedrückt. Wir hatten eine lange Reise vor
uns. Nach Estland mußten wir ganz Lettland und Litauen
durchfahren und über Westpreußen Berlin erreichen, was drei
Tage in Anspruch nahm.

Bis jetzt hatte ich mich vor der Reise in das Land der
tausend Gefahren, das Land mit dem teuflischen Regime gefürchtet, muß aber gestehen, daß mich eine eigenartige Be-
täubung befiel, als ich mich in dem Eisenbahnabteil niederließ.
Ich fügte mich meinem Schicksal. Ich zählte auf »die alles-
vermögende, unsichtbare Hand«, die über meinen Weg entschieden hatte, ich überließ mich ihr voller Vertrauen und
Ergebenheit.

Ich erinnere mich an das glücklich strahlende Gesicht meiner Begleiterin, an ihren Stolz, mit dieser patriotischen Aufgabe betraut worden zu sein, ein verlorenes Kind seinem deutschen Vaterland zurückzuführen. Sie konnte ja nicht ahnen,
daß sie mit einem kleinen Juden, einem Sohn Moses reiste.
Ich zwang mich, so wenig wie möglich zu sprechen.

Unsere höfliche Unterhaltung schlug rasch in einen Monolog um. Sie hielt eine endlose Rede über die Größe Deutschlands und umschloß dabei fest meine Hand mit den Fingern und streichelte mich manchmal, was sie nicht daran hinderte, Lobeshymnen auf das deutsche Volk und seinen *Führer* zu singen. Eine Stelle fand ich gar nicht komisch. Sie bat mich, die auf den Feldern weidenden Kühe anzusehen, an denen wir vorüberfuhren, und machte mich auf deren schmutzstarrende Leiber aufmerksam. Dagegen seien die »deutschen« Kühe sauber und gepflegt. Dann ging sie von den schmutzigen Kühen zur Reinheit des Volkes über, dem anzugehören auch ich das Glück hätte. Sie fügte noch hinzu, daß wir eine Elite darstellten, wir im Recht und unter der ewigen Führung Hitlers zu Rettern der Menschheit berufen wären.

Dieser energischen Frau mangelte es an Geduld, sie versuchte, aus mir so schnell wie möglich einen überzeugten Nationalsozialisten zu machen, noch bevor wir im Land eingetroffen waren. Sie redete ununterbrochen. Einzig die Mahlzeiten und kleinen Nickerchen vermochten die Flut ihrer begeisterten Worte einzudämmen.

In der zweiten Nacht unserer Reise ereignete sich ein denkwürdiger Vorfall. Wir saßen allein im dunklen Abteil. Die Atmosphäre war gelöst, und die Unterhaltung hatte eine persönlichere Wendung genommen. Ich begriff, daß ich ihr gefiel, daß sie »meine wunderschönen pechschwarzen Haare« besonders verführerisch fand. Als Soldat, der von der Front kam, hatte ich mittlerweile gelernt und gab ihr ein paar Komplimente und Artigkeiten zurück. Plötzlich legte sie sich auf die Bank, zog mich an sich und bedachte mich unter unverständlichem Gemurmel mit leidenschaftlichen Küssen. Ich war schließlich siebzehn Jahre alt und hatte – dank der Geschichten meiner Waffenbrüder – immerhin große theoretische Erfahrung. Näher kennengelernt hatte ich bisher aber nur Lee Moreste. Ich konnte dem Aufruhr meiner jungen Sinne nicht widerstehen. Sie erregte mich sehr, und diese leidenschaftlichen Umarmungen waren für mich sexuelle Erfüllung, auch wenn wir letztlich nicht miteinander schliefen. Und so schoß es mir hinterher immer wieder durch den Kopf: »Wenn sie wüßte…!« Noch heute bedauere ich, daß ich ihr in Anbetracht der Umstände die Wahrheit nicht enthüllen konnte.

Als ich noch in Peine gelebt hatte, war oft von »Rassenschande« zu hören gewesen. Eine deutsche Frau konnte sich kaum eines größeren Verbrechens schuldig machen. Jetzt sagte ich bei mir: »Sehen Sie, Frau Nazi, Sie haben es soeben mit einem… Juden getrieben!« Ich glaube, sie hätte sich umgebracht, wenn sie es erfahren hätte.

Am nächsten Tag trafen wir in Berlin ein. Ich wohnte kurze Zeit in einem vornehmen Hotel und besichtigte die Stadt, bis man mir einen endgültigen Aufenthaltsort zuwies. Die Hotelgäste flößten mir Entsetzen ein. Es waren Eliteoffiziere, Hauptsturmführer, SS-Leute in ihren Todesuniformen, SA-Führer in Reithosen, braunen Hemden und schwarzen Krawatten und Stiefeln, aber auch Männer in Zivil mit kurzgeschorenem Haar, vor denen in diesen Jahren alle Juden und Demokraten zitterten. Ich war gegenwärtig das verlorene Kind für sie, und ich grüßte sie mit »Heil Hitler!«.

Ich riß ständig den Arm hoch, wenn ich die Hotelstufen hinaufstieg oder durch eine Tür trat. Meine Begleiterin heftete mir gerührt ein rundes, auffallendes Abzeichen, das Hakenkreuz in einem goldenen Lorbeerkranz, an das Revers meines neuen Anzugs.

Äußerlich sah ich aus wie einer von ihnen. Alle hatten mich »Heil Hitler!« grüßen sehen. Und obwohl es verwundern mag, muß ich gestehen, daß die Sache anfing, mir Spaß zu machen und zu schmeicheln.

Heute, mit dem Abstand von rund fünfzig Jahren, bin ich mir im klaren darüber, daß damals ein ganz bestimmter Prozeß in mir in Gang gesetzt wurde. In diesem Hotel wurde der Keim zu meiner späteren Identifikation mit der nationalsozialistischen Ideologie gelegt.

Will man diesen Prozeß verstehen, muß man sich die seelische Notlage vorstellen, in der ich mich befand. Ich war ein Einzelkämpfer in einem Meer von Hakenkreuzen, und dies nur, um das Todesurteil hinauszuzögern, das über mich gefällt worden war, weil ich Jude war. Ich wollte leben, noch eine Stunde, einen Monat, vielleicht ein Jahr überleben, wollte einfach am Leben bleiben.

Ich mußte um jeden Preis ihrer perfekten Vernichtungsmaschinerie entgehen. Aber ich hatte keine einzige Waffe zu meiner Verteidigung. Ich besaß lediglich ihre Uniform und ihre Abzeichen. Und wenn ich jetzt noch da bin und diese Geschichte erzählen kann, so nur, weil ich gelernt hatte, mich wie sie aufzuführen und ohne Zögern meine Nazirolle zu spielen. Ich habe mich ganz und gar meinem Selbsterhaltungstrieb überlassen, der mir unablässig das richtige Verhalten eingab. Mein wahres »Ich« verdrängte ich nach und nach. Es konnte vorkommen, daß ich sogar »vergaß«, daß ich Jude war.

Und nichts hinderte mich damals daran, die Gesellschaft meiner Begleiterin und die Schönheit der Berliner Sehenswürdigkeiten zu genießen. Ich ging sogar zum ersten Mal in meinem Leben in die Oper. Die Deutsche Staatsoper führte Richard Wagners *Tannhäuser* auf, was fünf Stunden dauerte. Die ganze Zeit über lauschte ich gebannt dieser grandiosen Musik. Ich war wie verzaubert von den Bühnenbildern und der Theateratmosphäre.

Unterdessen hatte man mir meinen künftigen Wohnort mitgeteilt: ein Internat in Braunschweig. Ich hätte schreien mögen: »Nein! Bloß nicht dort hin!« Peine, wo ich geboren wurde, lag dicht bei Braunschweig. Man hätte den jüdischen Nachbarsjungen Sally wiedererkennen können, was fatal gewesen wäre. Deutschland war doch so groß, besaß unzählige Städte und Internate. Warum hatte das Schicksal gerade diese Stadt ausersehen? Warum machte sich das Schicksal so gnadenlos über mich lustig?

Ich verbot mir diese Gedanken und setzte ein gezwungenes, freudiges Lächeln auf. Als ich mich von meiner Verblüffung erholt hatte, konnte ich wieder denken, und ich sagte mir: »Da mein Lebensweg merkwürdig krumm verläuft, führt er mich nicht geradeaus, sondern bringt mich an den Ausgangspunkt zurück. Vor sechs Jahren habe ich wegen der furchtbaren Verfolgung durch die Nazis Peine unfreiwillig verlassen und bin nach Osten, nach Lodz gegangen. Von dort aus bin ich zwei Jahre später nochmals geflohen. Dann eine erneute Flucht, diesmal nach Minsk. Danach gelangte ich unter falschem Namen bis in die Vorstädte Moskaus, in den Norden Leningrads und nach Tallin, und jetzt komme ich mit Hilfe einer Sonderdelegierten bis in die Umgebung meiner Heimatstadt. Als Sally bin ich gegangen, als Josef kehre ich wieder. Bin wirklich ich es, der wiederkehrt? Als Kind bin ich aufgebrochen, heute bin ich ein junger Mann mit einem anderen Namen, trotzdem bleibt es dasselbe Ich. Wie kann dies alles angehen?«

– Jahrelang ging mir eine Frage nicht aus dem Sinn: Warum wurde mir die große Ehre einer eigens für mich abgestellten Beamtin zuteil? Die Antwort erhielt ich anläßlich meines ersten Treffens mit den ehemaligen Kameraden der 12. Pommerschen Panzerdivision in Heppenheim bei Frankfurt, zu dem »Josef Perjell, wohnhaft in Israel«, eingeladen worden war, und es kam Sally Perel. Das war 1987. Sie erzählten mir, daß die Nichte Joachim von Münchows, Henriette, Tochter des Leibphotographen und Kunstberaters Hitlers, Hoffmann, mit dem später in Nürnberg verurteilten Reichsjugendführer Baldur von Schirach verheiratet gewesen war.

Diese Henriette von Schirach meldete sich bei mir, als sie aus den Medien von meiner Geschichte erfahren hatte. Sie schickte mir ihr Buch, *Der Preis der Herrlichkeit,* und äußerte den besonderen Wunsch, mich zu treffen. Sie wollte mir bei dieser Gelegenheit etwas überreichen. Dazu kam es nicht. Sie starb Anfang 1992. Das erfuhr ich, als ich mich im Februar in München nach ihr erkundigte. Dank dieser Nichte also war von Münchows Ersuchen damals an einen Beamten in der Reichsjugendführung gelangt, der mich durch diese Begleiterin dann nach Braunschweig schicken ließ. Bis 1987 hatte ich keine Ahnung davon gehabt, daß mich solch hohe Stelle protegierte. Dies erklärt zweifellos die Privilegien, die ich genoß. –

Auf einem Berliner Bahnhof verabschiedete ich mich von meiner Begleiterin und versprach zu schreiben. Dann stieg ich in den Zug nach Hannover, wo ich in einen Zug nach Braunschweig umsteigen mußte. Er durchfuhr einige mit Fronturlaubern überfüllte Bahnhöfe. Immer wieder sah ich Schilder mit der Aufschrift: »Räder rollen für den Sieg«.

Die ganze Reise über sah ich aus dem Fenster. Ich wollte nachprüfen, ob meine Begleiterin recht gehabt hatte, ob die deutschen Kühe wirklich sauberer waren… Sie waren es, aber was spielte das für eine Rolle! Rechtfertigte dies das schändliche, bestialische Verhalten der Mehrzahl ihrer Landsleute?

Ich war in Gedanken versunken, als der Zug nochmals hielt. Großer Gott, diesen Ort kannte ich gut. Ich entdeckte sofort das Bahnhofsschild PEINE. Ein merkwürdiges Gefühl beschlich mich. Ich ermaß die sonderbaren Wege des Schicksals: Hier hatten meine schmerzlichen Wanderungen nach Osten ihren Anfang genommen, hierher brachte mich das Leben ein zweites Mal zurück. Die mit diesem Bahnhof verbundenen Erinnerungen gehörten meiner alten Identität an, brachen aber zwischen Vergangenheit und Gegenwart hervor und weckten nun heftiges Heimweh in mir.

Mein Blick blieb an dem Bahnhofsschild hängen. Der weiße Untergrund war rußgeschwärzt. Die gleiche braune Wolke, über die sich die Einwohner schon damals beklagt hatten und die von dem großen Hüttenwerk der Stadt, dem »Peiner Walzwerk«, verursacht wurde, bedeckte noch immer den Himmel. Ich blickte über die geschlossenen Bahnschranken hinweg, deren Läuten den Verkehr auf beiden Seiten der Stadt zum Stillstand gebracht hatte. Die Automobile hielten, die Radfahrer stützten sich mit einem Fuß auf der Erde ab, die Kinder lächelten fröhlich in den Qualm hinein, der in die Luft quoll. Ich wollte alles in mich aufsaugen, besah mir jede Einzelheit. Ich konnte mich des seltsamen Gefühls nicht erwehren, dies hier sei eine andere Welt. Das Rütteln des anfahrenden Zuges machte diesem schwer erträglichen Blick auf den verbotenen Ort meiner Kindheit ein Ende.

Wenig später traf ich in Braunschweig ein und begab mich in das Büro des Bahnhofsvorstehers, so wie man mir befohlen hatte. Bei meinem Eintritt erhoben sich sogleich zwei junge Männer in braunen Uniformen mit den gezackten Blitzzeichen auf der Brust, schwarzen Stiefeln und verschiedenen Naziabzeichen und Hakenkreuzen auf den Ärmeln. Ich war erschreckt. Mir fuhr durch den Kopf: Wenn mich solche Leute in Empfang nehmen, wo werde ich dann landen, in wessen Hände werde ich fallen?

Mit einem kleinen Lächeln fragten sie mich, ob ich Josef Perjell aus Berlin sei. Ich nickte, und sie forderten mich auf, sie zu begleiten. Sehr höflich halfen sie mir beim Tragen meines Gepäcks. Wir setzten uns in einen neuen Volkswagen und fuhren sofort ab. In meinem Kopf herrschte ein solcher Nebel, daß ich nur kurz mit ja oder nein auf ihre freundlichen Fragen antwortete, die ich nicht ganz begriff.

Als ich die Straßen der Stadt betrachtete, auf denen es von gut genährten Leuten wimmelte, verwischte sich mein Eindruck, in ein Land von Kannibalen verschlagen worden zu sein, für die ich bald ein leichtes und besonders schmackhaftes Opfer sein würde. Meine Gedanken überstürzten sich, und beinahe hätte ich einmal gefragt: »Wohin fahren wir?« Doch meine Stimme hätte meine Angst verraten, und so blieb ich stumm.

Nach einer etwa halbstündigen Fahrt waren wir am Ziel. Der Wagen hielt vor einem großen, modernen Gebäude. Auf der Fassade wehten die Nazi-Fahnen. Ich werde den Schreck, der mir in die Glieder fuhr, niemals vergessen.

Das Gebäude schien ausgezeichnet instandgehalten. Ein riesiger Innenhof diente als Versammlungsfläche, hinter einer Stele und der Bronzestatue eines tapferen Soldaten stand ein Fahnenmast. Den Hof säumten zweistöckige Wohngebäude. Zwischen ihnen lagen ein olympiagerechtes Schwimmbad, Aschenbahnen, verschiedene Sportstätten für Athletik und Mannschaftsspiele. Ein hoher neogotischer Bau, auf dessen Giebel »Kraft durch Freude« zu lesen war, begrenzte den Hof.

In diesem Bau befand sich der Speisesaal. Mehrere blonde Burschen überquerten den Platz, alle in schwarzen Hosen und braunen Hemden mit Naziabzeichen.

Es war mir klar, daß ich in die Höhle des Löwen eindrang. Wenn sie – Gott bewahre! – entdeckt hätten, daß ich Jude war, würden sie mich gewiß wie Raubtiere in Stücke gerissen haben. Diese schreckliche Angst nistete sich bei mir ein, und ihre Folgen spüre ich noch heute.

Man wies mich in das Büro des Bannführers Mordhorst, der mir in seiner ganzen Herrlichkeit, umringt von einem Hofstaat von Untergebenen, gegenüberstand. Er begrüßte mich mit einem schneidigen »Heil Hitler«. Es blieb mir nichts weiter übrig, als mich zusammenzunehmen, meinen Arm schräg nach oben zu reißen und »Sieg Heil« zu antworten.

Wir setzten uns, um uns durch ein Gespräch miteinander bekannt zu machen. Vor mir, hinter dem Bannführer, befand sich eine Hitlerbüste, deren Augen und Bärtchen besonders plastisch gestaltet waren. Photographien vom Aufmarsch der Jugend beim Reichsparteitag in Nürnberg zierten die Wände. Man stellte mir Fragen über den Verlauf der Schlachten und über die »ruhmvollen Siege«, bei denen ich dabeigewesen war. Ich staune noch immer über mein erzählerisches Talent, mit dem ich meine Bravourstücke zum Besten gab, ohne Stottern und Zögern. Meine Zuhörer waren beeindruckt und fasziniert. Nach meiner minutenlangen Schilderung, während der ich die Aufmerksamkeit aller auf mich gezogen hatte, ergriff der Bannführer das Wort und beschrieb mir die Einrichtung, in der ich soeben eingetroffen war. Meine schlimmsten Befürchtungen bestätigten sich: Ich war in einer HJ-Schule gelandet, einer nationalsozialistischen Berufsschule, die in ihrer Art einzig war im ganzen Reich. Diese »Ritterburg der NS-Arbeit« verfolgte drei Hauptziele: den Führungsnachwuchs für die verschiedenen Parteiorganisationen heranzuziehen, eine politische und technische Ausbildung zu gewährleisten und im Rahmen des Banns 468 effektive Arbeit zu leisten.

Der *Führer,* erklärte man mir, lege keinen Wert auf einen

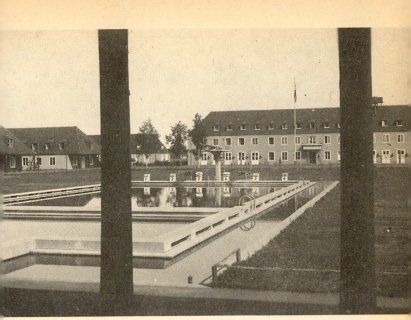

Hauptgebäude, Wohnheim und das Schwimmbad der HJ-Schule in Braunschweig.

unnützen musischen Unterricht. Er wolle die jungen Deutschen auf die praktischen Anforderungen des Regimes vorbereiten und sie abhärten.

Ich konnte seinen Ausführungen nicht ganz folgen, ich bekam Bauchkrämpfe, und wieder näßten ein paar Tropfen meine Hose.

Er fuhr fort und legte dar, daß die Schüler in mehreren Heimen zusammengefaßt seien, die jeweils einzelnen Bereichen zugeordnet waren, wie Streifendienst, Marine, Flieger, Nachrichtenwesen, Motor-HJ. Höchst bedauerlicherweise könne ich nicht in die SS-Abteilung aufgenommen werden, da ich nicht blond sei und meine einhundertsechzig Zentimeter nicht der vorgeschriebenen Größe entsprächen. Der Schlußsatz des Bannführers beim Abschied verblüffte mich: Er meinte, daß wenn ich in so jugendlichem Alter bereits so tapfer an der Front gekämpft hätte, er völlig sicher sei, daß ich auch zu einem *Führer* und Volk ergebenen Mitglied der Hitlerjugend werden würde.

Ich mußte meine ganze Kraft aufbieten, um zum obligatorischen Hitlergruß den Arm zu heben. Den letzten Worten meiner Mutter, die mir jetzt im Ohr klangen: »Du sollst leben, du sollst leben!«, ist es zu verdanken, daß ich in dieser Sekunde nicht ohnmächtig umfiel.

Die Hitlerjugend war der dritte Schenkel des Blutdreiecks SS, SA, HJ. Ich sehe ihre blutrünstigen Visagen noch vor mir, wenn sie sich mit ihren Dolchen, auf denen »Blut und Ehre« eingraviert war, über die Juden und Regimegegner hermachten. Und jetzt gehörte ich zu ihnen!

Ich verließ das Büro des Bannführers, und mein direkter Vorgesetzter, der Heimführer Karl R., brachte mich in meine neue Unterkunft, das Heim Nr. 7 des Technischen Dienstes. Ich sagte zu meinem Begleiter, daß mir alles gut gefalle und ich froh sei, dies gegen die schwierigen Lebensbedingungen an der Front eingetauscht zu haben. Er begnügte sich damit, mir zu antworten, daß die Anlage in der Tat schön sei, das Hauptgebäude erst vor kurzem in dem vom *Führer* selbst gewählten »neugermanischen Baustil« errichtet worden sei und es ein Vorrecht bedeute, zu den Schülern dieser einzigartigen Schule zu zählen.

Die Fassade des Heims Nr. 7 machte großen Eindruck auf mich. Die pompöse Eingangshalle wurde als Lesesaal genutzt. Auf den viereckigen Tischen lagen verschiedene Zeitungen aus, in den Regalen an den Wänden standen zahllose Bücher. Das Büro des Heimführers befand sich an der Kopfseite der Halle, rechts verlief ein breiter Flur, von dem die Zimmer abgingen. Dieser Flur wiederum mündete in die Waschräume und Toiletten. Links vom Lesesaal führte eine Treppe in das zweite Geschoß. An einer Wand fiel auf einem in Fraktur geschriebenen Plakat Hitlers Ermahnung der deutschen Jugend auf: »Sei hart wie Krupp-Stahl, zäh wie Leder und flink wie ein Windhund!« Der Heimführer zeigte mir mein Zimmer, riet mir, mich einzurichten, mich etwas auszuruhen und dann in seine Kanzlei zu kommen. Mein Zimmer war das zweite von rechts. Zwei Betten, zwei Schränke, zwei Schreibtische und Stühle möblierten es. Gebäude und Zimmer waren leer zu dieser Stunde. An der Wand über meinem Bett belehrte mich ein Spruch über »die Reinheit des germanischen Blutes«, die hauptsächlich auf dem Land bewahrt werden würde.

Das Zimmer war geräumig und funktional. Ich legte meine Sachen in eine Ecke, schloß die Augen und atmete erst einmal durch. In der bedrückenden Stille hörte ich meinen Herzschlag.

»Oh Allmächtiger, was soll werden? Welche Art Überleben hältst du für mich bereit? Soll ich lachen oder weinen? Nein weinen gewiß nicht, nur Mut brauche ich, Mut! Jedenfalls muß ich das Schloimele in mir vergessen und anfangen, ein Hitlerjunge, ein echter Josef zu werden.«

Ich machte mich ans Einräumen. Völlig ruhig packte ich meine Sachen aus und legte sie in peinlicher Ordnung in den leeren Schrank. Nur meine Flasche französischen Cognac nicht, denn die wollte ich dem Heimführer schenken. Ich wußte, daß alkoholische Getränke, und besonders von solcher Qualität, hier kaum erschwinglich waren; diese Geste würde mir sicher seine Achtung verschaffen und mir bei der Eingewöhnung helfen.

Ich setzte mich einen Augenblick auf das Bett, ich wollte mich kurz ausruhen und sammeln. Plötzlich veranlaßte mich heftige Neugierde, einen Blick in die Waschräume und Toiletten zu werfen. Natürlich war mir bewußt, daß ich mich nicht mit meinen Mitschülern duschen, daß niemand meine Beschneidung entdecken durfte. Bei diesem Gedanken erschauerte ich. Ich wollte die Örtlichkeiten inspizieren, bevor meine Kameraden und Zimmergenossen zurückkehrten.

Ich wurde angenehm überrascht. Meine Befürchtungen erwiesen sich als übertrieben. Die einzelnen Duschen waren durch dicke Milchglasscheiben voneinander getrennt. Beruhigend. Der Umkleideraum dagegen gefiel mir weniger. Ich würde mich mit den anderen zusammen aus- und anziehen müssen. Also überlegte ich, wie ich die Gefahr am geschicktesten abwenden könnte. Die Toiletten entsprachen meinen Vorstellungen und stellten aller Wahrscheinlichkeit nach kein Hindernis dar. Ich ging hinein und verriegelte die Tür hinter mir. Alles war sauber und glänzte wie nagelneu. An einer Wand hatte man versucht, Goethe zu zitieren: »Laß dich nicht aus der Ruhe bringen, denk an den Spruch von Götz von Berlichingen: ›…und dem König richtet aus, am Arsche soll er mich lecken!‹«

Ich las diesen deutlichen Satz nochmals und beschloß, als ich wieder in den Flur hinaustrat, es von nun an ebenso zu halten, und meine gute Laune in diesem Augenblick ließ mich wünschen, die anderen möchten es mir gleichtun.

In meinem kurzen Leben hatte ich bereits eines gelernt: mich anzupassen und unvermutete Schwierigkeiten zu überwinden. Ich hatte das Gefühl, daß wenn es mir schon gelungen war, mich für einen »tapferen Frontkämpfer« auszugeben, ich auch imstande wäre, das Problem der Beschneidung zu lösen und als makelloses Mitglied der Hitlerjugend zu gelten.

Ich kehrte in mein Zimmer zurück und bereitete mich auf die Unterredung mit dem Heimführer vor. Ich ließ meinen Lebenslauf noch einmal Revue passieren, würzte ihn mit einer Mischung aus Wahrheit und originellen Lügen. Dann ergriff ich die Flasche Cognac und machte mich auf den Weg zur Kanzlei des Heimführers Karl R. Schon im Korridor hörte ich Lachen. Man schien aufgeräumter Stimmung zu sein. Ich verharrte einen Augenblick, um etwas aufzuschnappen und mich zu wappnen. Ich wußte, daß ich jetzt vor meinen direkten Vorgesetzten, aber auch vor Unbekannte treten würde, die mir instinktiv gefährlich vorkamen.

Ich nahm die Flasche in die linke Hand, um die rechte für den Gruß freizuhaben, und klopfte an. Als ich jawohl hörte, ging ich selbstsicher hinein. Ich grüßte vorschriftsmäßig und sagte, nachdem ich den Arm gesenkt und mit stolzem Lächeln auf die Flasche gewiesen hatte: »Das ist ein ausgezeichneter französischer Cognac, ein Geschenk meines Frontregiments!«

»Um Gottes willen«, sagte der Heimführer, »das muß sofort verschwinden. Du solltest wissen, daß in unserer Bewegung Alkohol und Rauchen absolut verboten sind. Der *Führer,* unser höchstes Vorbild, trinkt nicht und raucht nicht.« Ich überspielte meine Verblüffung rasch mit einem beschämten Lächeln und stellte die so verschmähte Flasche in eine Zimmerecke. Hinter mir flüsterte jemand: »Na, so schlimm ist das auch nicht, ich habe gehört, er war Soldat.«

Der Heimführer bat mich, Platz zu nehmen. Vor mir saßen noch andere Heimleiter. Als ich das Zimmer betreten hatte, hatten sie ihre laute Unterhaltung unterbrochen und mich angestarrt. Ihre braunen Uniformen und die tadellosen schwarzen Krawatten zierten verschiedene Sport- und Parteiabzeichen. Die breite schwarze Armbinde mit dem großen Hakenkreuz fesselte meine Aufmerksamkeit besonders. Es gelang mir, einen kühlen Kopf zu bewahren, und niemandem fiel meine Angst auf, die jetzt noch schrecklicher war als ehedem, als ich es mit hohen Wehrmachtsoffizieren zu tun hatte. Es war offensichtlich, daß diese Leute hier grenzenloses Vertrauen in die Richtigkeit ihrer Ideologie hatte, in deren Namen sie unaufhörlich Verbrechen an der Menschheit begingen. Diese Verbrechen hielten sie für patriotische Aufgaben im Interesse ›Großdeutschlands‹.

Der Heimführer ergriff das Wort und verkündete der Runde, daß ich der Volksdeutsche sei, von dem sie soeben gesprochen hätten, und daß ich ihnen von der Wehrmacht geschickt worden sei. Es hagelte sogleich Fragen. Meine klaren Antworten überzeugten. Natürlich sprach ich nicht von dem Zynismus, der sich vor meiner Abreise unter den Soldaten breit zu machen begonnen hatte: »Es ist zum Kotzen, Herr Major, die ganze Front steht schief!« Ich sagte auch nichts von den ersten sichtbaren Zeichen, die auf das Scheitern des Blitzkrieges hindeuteten. Hier bestaunten sie alle noch immer rückhaltlos das strategische Genie des *Führers.* Diese Verblendung sollte bis zum Ende des Krieges im Mai 1945 anhalten, auch die furchtbare Niederlage von Stalingrad änderte daran nichts. Meine

Schutzmechanismen hatten jedenfalls einmal wieder reibungslos funktioniert.

Salomon alias Jupp, der Soldat, alias Josef, der Hitlerjunge, hatte eine ideale Tarnung gefunden, unter der er in Sicherheit lebte. Doch wie lange? Konnte man ewig so leben, mit einer geliehenen Identität, ohne Ausweispapiere und mit einer Beschneidung, während dieses Regime – bis zum Wahnsinn – alles aufbot, um jegliches Fremde von diesem Volk fernzuhalten, über das es totalitär herrschte?

Ich wurde zwischen zwei widersprüchlichen Empfindungen und Reaktionen hin- und hergerissen: Die eine warnte mich unablässig vor der ungeheuren Gefahr, in der ich schwebte, die andere beschwichtigte und verharmloste mein Entsetzen bis zur Verschleierung und zum völligen Vergessen. Im allgemeinen behielt die zweite die Oberhand.

Wir unterhielten uns noch eine gute Weile. Nach meiner eingehenden Schilderung der Ereignisse an der Ostfront verließen die anderen den Raum und kehrten an ihre Arbeit zurück. Ich blieb allein mit dem Heimführer. Und da geschah etwas Überraschendes: »So, Josef, jetzt trinken wir ein Glas von deinem Cognac, wie es sich für zwei alte Frontkämpfer gehört.« Er holte zwei Gläser und eine Schachtel Kekse hervor. Verdutzt über diesen jähen Sinneswandel, nahm ich die Flasche aus der Ecke und goß uns beiden ein. Wir tranken auf unsere Gesundheit. Dies ließ auf ein gutes Einvernehmen in der Zukunft schließen, und fortan verband uns ein Geheimnis; denn niemand durfte Wind davon bekommen, daß wir in einer Vorzeigeschule der Hitlerjugend Alkohol getrunken hatten. Und da ich vor ihm und den anderen mein Leben ausgebreitet hatte, erzählte er mir auch einiges von sich. Karl war bis vor kurzem aktiver Offizier der Waffen-SS gewesen und hatte 1940 in Frankreich gekämpft, wo er verwundet wurde und ein Bein verlor. Beim Sprechen klopfte er mit der Faust auf seine Prothese. Der Klang war eindeutig. Nach seiner Genesung hatte man ihm mehrere Posten angetragen, und er hatte diesen gewählt.

– Vierzig Jahre später sollte ich ihn in seinem Haus in Braunschweig wiedertreffen. Das war im November 1985:

Der Bürgermeister von Peine hatte mich als Ehrengast zur Einweihung des Mahnmals eingeladen, das an die Zerstörung der Synagoge erinnern soll, die in der sogenannten Kristallnacht niedergebrannt worden war. Eingeladen worden war ich als ein in Peine geborener Jude, der den Holocaust überlebt hat. Die Geschichte meines Überlebens kannten sie jedoch nicht. Ich nahm die Einladung mit gemischten Gefühlen an. Seit Kriegsende war ich nicht mehr in Deutschland gewesen.

Die Gedenkveranstaltung umfaßte auch einen von einem Jugendverband angeführten Fackelzug bis zum Standort der ehemaligen Synagoge. Wie gerne war ich mit meinem Vater dort hingegangen, besonders an *Simchat Thora,* dem jüdischen Feiertag, an dem die Kinder mit Bonbons und Nüssen beworfen werden! Im Vorübergehen bemerkte ich, daß der Name der Straße, die zu dem Platz führte, die Bodenstetterstraße, rot durchgestrichen und durch den Namen Hans Marburger ersetzt worden war. Sofort fiel mir mein jüdischer Kinderfreund Hans ein. Sein Haus grenzte an das meine, und wir waren häufig zusammen. Ich fragte meinen Nebenmann, den Neffen des von den Nazis ermordeten Sekretärs der damaligen Ortszelle der Kommunistischen Partei, ob die Straße nach dem nämlichen Hans benannt worden sei, und er erzählte mir eine erschütternde Geschichte. In der sogenannten Kristallnacht waren drei SA-Männer in das Haus der Marburgers eingedrungen und über den Vater hergefallen. Sein Sohn Hans versuchte ihn mit unvorstellbarem Mut gegen die Angreifer zu verteidigen. Er wurde sofort gepackt, brutal in den Wagen der Horde geworfen und in die Synagoge gefahren. Dort sperrte man ihn, an Händen und Füßen gefesselt, in das Allerheiligste. Die Synagoge brannte nieder, und mit ihr verbrannte Hans Marburger, der unbekannte Held. Sein »Verbrechen« hatte darin bestanden, seinem Vater gegen die enthemmte Bande zu Hilfe kommen zu wollen. Er war fünfzehn Jahre alt. Gesegnet sei sein Andenken!

Das Grab Hans Marburgers, Sallys Jugendfreund, in Peine.

Am Tag nach der Gedenkveranstaltung, bei der man mir diese Geschichte erzählt hatte, suchte ich den ehemaligen Heimführer Karl R. auf. Das mag vielleicht zunächst unverständlich wirken. Wie nach der Schilderung einer solch unmenschlichen Tat meine am folgenden Tag stattfindende Begegnung mit einem Mann plausibel machen, der diese Barbarei repräsentierte? Auch mir ist dies nicht leichtgefallen.

Ich habe meinen Bericht eine lange Weile unterbrochen. Es gelingt mir nicht, auch schriftlich nicht, von Hans' tragischem Tod zu der Beschreibung einer von solch obskuren Motiven geleiteten Begegnung überzugehen. Es gibt keine Rechtfertigung für mein bereitwilliges Treffen mit Karl R., es sei denn, das Leben selbst lieferte sie; Persönlichkeit und

Charakter eines Menschen sind manchmal Grund genug. Die natürliche Neigung zur Rachsucht macht manchmal der Großmut Platz. Ein Händedruck muß nicht notwendigerweise Vergebung bedeuten, er kann im Gegenteil eine seelische Größe zum Ausdruck bringen, die eine Mischung aus Verachtung und menschlichem Sieg über Haß und Verbrechen darstellt.

Dem Treffen mit Karl R. vorausgegangen war folgendes: Als ich mich bei der Gedenkfeier schließlich bewegt an das Publikum und insbesondere an die Jugend wandte, griff ich in meiner kurzen Rede die gerade gehörte Geschichte auf und pries die Größe und den Mut des jungen Hans. Er hatte auch vor einer physischen Konfrontation nicht Halt gemacht, obwohl seine Chancen gleich Null waren. Am folgenden Tag lud mich die Lokalzeitung zu einem Interview mit den Redakteuren ein. Im Verlauf der lebhaften Unterhaltung bei einer Tasse Kaffee fragte mich einer der Journalisten, unter welchen Umständen ich den Krieg überlebt hätte. »Da kann ich Ihnen eine interessante Geschichte erzählen«, erwiderte ich. »Ich habe die meiste Zeit ganz in der Nähe in Ihrer Nachbarstadt Braunschweig verbracht. Ich sah wie ein Deutscher aus und hielt mich in den Reihen der Hitlerjugend verborgen. Ich bin sogar in Uniform in den Peiner Straßen spazierengegangen, genau hier unter den Fenstern Ihrer Zeitung.«

Die Anwesenden begriffen den Sinn meiner Antwort nicht. Ich erriet es an ihren erstaunlichen Mienen und an den skeptischen Blicken, die sie einander zuwarfen. Ich nannte daraufhin Einzelheiten. Als ich geendet und ihre Zweifel zerstreut hatte, fragte man mich: »Sind Sie seither nach Braunschweig zurückgekehrt?« Ich verneinte. »Würden Sie uns begleiten, um dort jemanden zu treffen, vielleicht den Heimführer, von dem Sie gesprochen haben?« Der junge Journalist insistierte, er witterte eine außergewöhnliche Geschichte.

Nach reiflicher Überlegung und etwas zögerlich willigte ich ein. Ich übersah die Tragweite dieser Zustimmung nicht, die eine solche Begegnung für mich selbst haben würde. Ich würde mich dem Gewesenen stellen, würde wieder eine physische Verbindung zu einer Vergangenheit schaffen, die ich mich bemüht hatte zu verdrängen und an die ich möglichst nicht rühren wollte. Ich würde den in mir schlummernden Jupp wieder aufleben lassen und Überlegungen auslösen, die mir und nur mir gehörten, Gedanken, die ich mit ins Grab nehmen wollte. Ich wollte sie tief in meinem Innern verbergen, weil ich fühlte, daß sie zu angreifbar und zu komplex waren, als daß ich sie anderen hätte anvertrauen mögen. Zudem gingen sie mit mir zu hart ins Gericht.

Die Reise zu einer vierzig Jahre entfernten Vergangenheit dauerte zwanzig Minuten. Ich erkannte die mir einst vertrauten Straßen und Gebäude von Braunschweig sofort wieder. Ich erinnerte mich an den Weg, der zur Schule in die Gifhorner Straße 180 führt. Wir waren schnell da. Aber jetzt rieb ich mir verwundert die Augen. Hatte mich mein Gedächtnis doch getrogen? Es gab kein Hauptgebäude mehr, Ausdruck Hitlerscher Machtarchitektur, auch keinen Wohntrakt mehr, weder Rasen- noch Sportflächen noch Schwimmbad oder Speisesaal waren zu entdecken, statt dessen Ödland. Das Volkswagenwerk hatte sich bis hierher ausgedehnt. Als einziger Zeuge der Vergangenheit war das Gebäude mit den Klassenzimmern stehengeblieben, in dem sich jetzt die technischen Büros des Werks befanden. Alles, was das damalige Alltagsleben ausgemacht hatte – Essen, Schlaf, Sport usw. – war zerstört worden und existierte nicht mehr. Übrig blieben sozusagen lediglich die Klassenzimmer, in denen ich drei Jahre lang auch in nationalsozialistischer Rassenkunde unterrichtet worden war.

Ich entsann mich sofort wieder, wie man zu R.'s Wohnung kam. Das Haus lag dicht bei der Schule, und ich ging dort manchmal spazieren. Aber wir wurden enttäuscht. In der Wohnung lebten jetzt Leute, die von den Mietern der vierziger Jahre absolut nichts wußten.

Wir fragten eine alte Dame, die die Straße überquerte, und sie erinnerte sich an den »Invaliden Karl«. Sie konnte uns sagen, daß er neu angefangen hatte und Zahnprothesen herstellte, wußte aber nicht, wo er jetzt wohnte. Mit Hilfe des Telefonbuchs der Dame fanden wir, was wir suchten.

Ich wählte Karls Nummer. Am anderen Ende der Leitung meldete sich seine Frau. Ohne meinen Namen zu nennen, stellte ich mich als ehemaligen Schüler ihres Mannes vor und bat um ein Treffen, damit wir gemeinsame Erinnerungen austauschen könnten. »Oh! Das wird Karl sicher freuen. Er ist gerade weggegangen, kommt aber in ein paar Minuten wieder. Kommen Sie doch bitte zu uns!«

Wir notierten die Adresse und machten uns auf den Weg. Schon von weitem erkannte ich die Gestalt in der Eingangstür, es war der ehemalige Heimführer Karl R. Ich wußte, daß mich dieses Treffen auf Pfade führen würde, auf die ich eigentlich keinen Fuß mehr setzen wollte. Ich empfand Schrecken und Ekel, aber auch eine Art diffuser Hingezogenheit. Tatsache ist, daß ich vor ihm stand.

»Willkommen, Jupp! Wie geht es dir, was führt dich her?« sagte er sichtlich bewegt und bot mir die Hand. Eher ernst denn freudig lächelnd ging ich auf ihn zu, und wir reichten uns die Hand. Ich brach das Schweigen.

»Karl, ich möchte dir etwas sagen. Ich heiße nicht Josef Perjell, sondern Salomon Perel und bin Jude!«

Er verstand nicht, auch nicht, als der Journalist dies bestätigte. Karl sah ihn an, wandte sich nach mir um und wurde bleich. Allmählich verdaute er das Ungeheuerliche, das er sich in seinen kühnsten Träumen nicht vorzustellen gewagt hätte. Er war verwirrt und erregt. Plötzlich breitete er wortlos die Arme aus und drückte mich an sich. Dann sagte er leise: »Oh Gott, oh Gott, wie schön, dich zu sehen…«

Er hatte seiner aufrichtigen Freude spontan Ausdruck gegeben. Ich wollte nicht als Rächer auftreten, ich wollte lediglich die Dinge zurechtrücken. Und doch war dies eine menschliche Begegnung, in der ich meinen Gefühlen nachgab, ohne die Vergangenheit zu vergessen. Wir weinten zusammen. –

Doch kehren wir zur Vergangenheit zurück.

Nachdem ich mich von Karl R. mit dem Hitlergruß verab-

Der Autor (Mitte) bei einem Wiedersehen mit ehemaligen HJ-Kollegen, darunter Karl Reiter (links), Perels damaliger Heimleiter.

schiedet hatte, schickte man mich in die Kleiderkammer, wo ich die Ausstattung eines Hitlerjungen erhalten sollte.

Nach all der quälenden Ungewißheit, der entsetzlichen Reise, der Allgegenwart der braunen Uniformen und den schwarzen Zukunftsaussichten war der Anfang vielversprechend. Rasch lernte ich, alles zu schlucken, meine fünf Sinne beieinanderzuhalten, meine Angst zu unterdrücken und selbstsicher zu wirken.

Völlig gelassen betrat ich die Kleiderkammer, wo mich zwei nicht mehr ganz junge Frauen empfingen. Ich sagte Guten Tag, sie erwiderten mit einem »Heil«. Widerstrebend versetzte ich: »Heil Hitler«. Die eine fragte mich, ob ich derjenige sei, der von der Ostfront käme. Ich bejahte und stellte befriedigt fest, daß auch hier meine Aktien gut standen. Sie legten verschiedene Sachen auf die breite Theke, die uns trennte:

eine komplette Sommer- und eine komplette Winterausstattung, zwei Mappen, Feld- und Arbeitskleidung, Socken und Schuhe. Überrascht sah ich, wie eine der Frauen neben den Kleiderhaufen das Koppel mit dem Dolch der Hitlerjugend legte, auf dem »Blut und Ehre« stand. Mich schauderte, und ich zuckte davor zurück, es zu nehmen. Wurden die gleichen Messer nicht gegen Juden und Regimegegner benutzt?

Meine Überlegungen wurden unterbrochen: »Probier das Koppel an, wollen sehen, ob es paßt, oder ob du ein anderes brauchst!« Ich überwand mich und schnallte den Gürtel um.

Beladen mit Sachen, die Eigentum des Dritten Reichs waren, kehrte ich in mein Zimmer zurück und legte alles auf mein Bett. Brennende Neugier trieb mich, sofort in meine neue Uniform zu schlüpfen. Ich wollte mich im Spiegel betrachten, wollte wissen, wie ich in diesem Aufzug aussah. In Wahrheit wollte ich Jupp begrüßen, den Neuling in der Hitlerjugend.

Das Bett war sauber und gemacht, Laken und Decken waren blau-weiß kariert. Mein Blick blieb von neuem an dem in Fraktur geschriebenen, eingerahmten Spruch hängen, der behauptete, der Bauernstand halte das germanische Blut rein, und ich dachte: »Wie denn! Bin nicht auch ich dazu bestimmt, bald ein deutscher Bauer mit einem eigenen Hof zu werden? Was ist dann mit der Rassenreinheit?«

Der Heimführer schaute in mein Zimmer und teilte mir höflich lächelnd mit, es sei Zeit zum Abendessen. Ich solle mich fertigmachen und meinen Geländeanzug anlegen, in dem man geordnet in den Speisesaal marschiere. Ich beeilte mich mit dem Einräumen und duschte mich schnell alleine, bevor die anderen zurückkamen. Im Umkleideraum zog ich mich hastig im hintersten Winkel aus und sprang in die Duschkabine. Ich hatte noch eine herrliche Duftseife aus Estland, die unter heißem Wasser üppigen Schaum entwickelte. Jupp fühlte sich in diesem Moment rundherum wohl. Er bekam Lust, die berühmte Bajazzo-Arie zu singen, die er so mochte. Leoncavallos Bajazzo weint und lacht gleichzeitig.

Nicht lange jedoch, und die Duschen sollten für mich von einem Ort der Entspannung und des Wohlbefindens zu einem beängstigenden Gefahrenpunkt werden. Schwierig wurden die Dinge nämlich, als mein mitgebrachter Seifenvorrat erschöpft war. Ich mußte auf die einzige Seife zurückgreifen, die es in Deutschland gab, die RIF-Seife. Sie war von außerordentlich schlechter Qualität, roch ekelhaft und schäumte nicht, was mich maßlos aufregte. Ich rieb wie verrückt, um die nötige Menge Schaum zu erhalten.

Um meine Beschneidung zu verbergen, wandte ich eine einfache, wirkungsvolle Methode an. Ich entkleidete mich in Windeseile, behielt meine Unterhose an und hüpfte sofort in die Kabine. Dort erst zog ich mich völlig aus, nachdem ich die Tür hinter mir zugeschlagen hatte. Ich erzeugte soviel Schaum, wie nötig war, um die »gefährliche Körperpartie« zu bedecken, damit niemand, der zufällig hereinschaute, sah, daß der Neuling Jupp beschnitten war.

Die Methode erwies sich als probat. Dennoch fühlte ich, daß sich das Blatt jederzeit wenden konnte. Daher suchte ich stets die hinterste Ecke auf, wenn andere mit im Umkleideraum waren. Ich wollte jedem neugierigen Blick aus dem Weg gehen. Noch heute bekomme ich Beklemmungen und Bauchgrimmen, wenn ich die Gemeinschaftsduschen eines Sportclubs betrete, dessen Mitglied ich bin.

– Als ich dann Karl R. wiedertraf, erinnerte er sich plötzlich daran, daß ihn damals mehrere Mitschüler aufgesucht hatten, um ihm von meinem merkwürdigen Gehabe im Umkleideraum zu berichten. Erst jetzt erfahren sie den Grund… –

Die RIF-Seife löste unerträgliche Situationen zwischen meinen Duschnachbarn und mir aus. Ich verfluchte sie, weil sie nicht ausreichend schäumte, die anderen schimpften auf die »verdammte Judenseife«. Die Buchstaben RIF waren die Abkürzung von *Reines Judenfett*. Unsere Verwünschungen richteten sich gegen dieselbe Seife. Doch welch furchtbarer Unterschied bestand zwischen ihnen! Da ich gelernt hatte, meine Gefühle bei jeder Gelegenheit zu beherrschen, suchte ich auch nicht, den tieferen Sinn dieses Seifennamens zu erfassen.

– Am Gedenktag der *Shoa* interviewte das israelische Fernsehen vor Jahren einen Juden, der eine RIF-Seife in der Hand hielt und erklärte, er habe sie nach Israel mitgebracht, um sie hier zu beerdigen, da sie aus Tausenden von Fetttropfen von Juden bestünde. Das war eine harte Prüfung für mich. Die Richtigkeit dieser Behauptung ist jedoch nicht bewiesen. –

Das Problem der Beschneidung quälte mich unablässig und stellte ein fast unüberwindliches Hindernis dar. Ich beschloß daher, durch eine »Selbst-Operation« die Vorhaut zu dehnen.

Als ich einmal eine BDM-Freundin besuchte, sah ich auf dem Tisch ein Knäuel dicker, weicher Wolle, aus dem sie eine Jacke für den Winter strickte. Diese Fäden waren genau die richtigen für mein Vorhaben, und ich stopfte einige Dutzend Zentimeter davon in meine Tasche.

In der Schule dann schloß ich mich in die Toilette ein und machte mich an die Arbeit. Ich zog meine Vorhaut kräftig herunter und verwünschte dabei meinen *Mohel,* meinen Beschneider, der nicht großzügiger gewesen war… Ich umwickelte sie dick mit den Wollläden, damit sie nicht wieder zurückrutschte und sich zusammenzog. In Anbetracht der Elastizität der Haut hoffte ich, daß sie nach ein paar Tagen gedehnt wäre und an Ort und Stelle bliebe.

– Kürzlich erst erfuhr ich, daß ich nicht der einzige war, der eine solche Tarnoperation versuchte, daß die alten hellenisierten Juden schon vor mir die Vorhaut herabgezogen hatten, um das letzte Zeichen ihrer Zugehörigkeit zum Judentum auszulöschen. Damals wußte ich noch nicht einmal, daß es sie gegeben hatte. –

Derart bandagiert lief ich einige Tage herum. In jeder Pause eilte ich in mein »Behandlungszimmer«, die Toilette, um nach dem Stand der Dinge zu sehen und, wenn nötig, die Veränderungen vorzunehmen, die für einen Erfolg unerläßlich waren. Sogar nachts prüfte ich tastend, ob die Vorhaut noch richtig festgebunden war. Nach ein paar Tagen aber mußte ich aufgeben, eine Entzündung hatte sich eingestellt, und ich mußte die Wollfäden entfernen.

Ich konnte kaum einen Fuß vor den anderen setzen. Dennoch arbeitete ich wie gewohnt. Beim täglichen Aufmarsch empfand ich schmerzhaft die mißlungene Manipulation. Ich leitete eine Gruppe Vierzehnjähriger, über die ich die Aufsicht hatte. Da fragte mich eines der Kinder: »Josef, warum marschieren Sie nicht aufrecht und im Takt?« Vorwände zu finden, war mir so zur zweiten Natur geworden, daß ich sofort antwortete: »Oh, das hat nichts zu sagen, ich habe nur Rückenschmerzen.« – »Warum gehen Sie dann nicht auf das Krankenrevier?« fragte der kleine Plagegeist weiter. »Da gehe ich erst hin, wenn es in ein, zwei Tagen nicht besser ist. Man geht nicht bei jedem Wehwehchen gleich zum Arzt!« Er nickte.

Meine Antwort erhöhte die Achtung noch, die ich bei den Jüngeren genoß. Doch was sollte ich tun, wem hätte ich mich in dieser schrecklichen Lage anvertrauen können? Zum Arzt zu gehen hätte nur eines bedeutet: »Ich unterwerfe mich. Ihr habt gewonnen. Ich gehöre euch. Bringt mich um!« Doch der Selbstmord hat mich nie verlockt und schien mir in meiner Situation auch keine angemessene Lösung. Hatte Mama nicht befohlen: »Du sollst leben!«

Der von der Entzündung hervorgerufenen Schmerzen wegen hatte ich also die »Operationsfäden« lösen müssen. Trotzdem hatte ich gehofft, die Manipulation würde sich als erfolgreich erweisen. Doch je größer die Hoffnung, desto tiefer die Enttäuschung. Die Haut zog sich wieder zusammen, und mein Problem bestand nach wie vor.

Ist es schon schwierig, ein Jude zu sein, so ist es noch viel schwieriger zu versuchen, keiner zu sein.

Ich entsann mich einer Unterhaltung zwischen Frontsoldaten, in der es sich um den Penis gedreht hatte. Jemand hatte erklärt, die Natur habe dem Geschlecht des Mannes außerordentliche Selbstheilungskräfte verliehen; dank der Fettschichten der Haut heile jede Wunde oder Entzündung rasch ab. Ich hatte dies im Gedächtnis behalten und beschloß nun, einfach abzuwarten. Zu meiner großen Freude stellte ich fest, daß dieser Jemand tatsächlich recht gehabt hatte. Ohne behandelt worden zu sein, ging die Entzündung immer mehr zurück und verschwand schließlich ganz. Ich feierte meine Heilung mit ein paar Schlückchen Likör; den hatte ich mir nämlich noch als Geheimvorrat aufbewahrt. Ich würde mich gewiß nicht mehr in die Arbeit des *Mohel* einmischen!

Nie hatte ich meinen Eltern einen Vorwurf daraus gemacht, mich in den Bund Abrahams, unseres Stammvaters, eingeführt zu haben. Das war für mich selbstverständliche Realität, ebenso selbstverständlich, wie ich Salomon hieß und dieses Gesicht und kein anderes hatte. Weder wollte ich meine Herkunft leugnen, noch sie verwerfen. Ich wußte nur, daß ich, bis diese dunkle Zeit vorüber war, eine Lösung für mein Identitätsproblem finden mußte. Ich wollte durchhalten, bis die Freiheit kam. Diese Zuversicht und die Gewißheit, daß meine Existenz an diesem Ort nicht von Dauer sein würde, hielten mich aufrecht.

Am ersten Tag in der Schule hatte ich mich also geduscht und war in meiner neuen Uniform gutgelaunt auf das Zimmer zurückgekehrt. Wie oft hatte ich sagen hören: »Der Schein trügt!« Jetzt aber stellte ich fest, daß genau das Gegenteil zutraf. Ruhig und sorgfältig hatte ich die schreckliche Uniform angelegt und vor dem Spiegel zu mir gesagt: »Schloimele, bist du es?« Trauer und Entsetzen huschten über mein Gesicht, erloschen jedoch ebenso rasch wieder, und ich lächelte mir siegesgewiß zu: »Bis jetzt habe ich Glück gehabt, und ich werde auch weiterhin Glück haben!«

Jupp, der Hitlerjunge, und Salomon, der Jude, vertrugen sich wie Feuer und Wasser. Dennoch existierten beide in demselben Körper, in derselben Seele.

Auf dem Flur hörte ich Stimmen näherkommen. Ich setzte eine ernste Miene auf. Mein Herz pochte. Wer mochten diese jungen Männer sein? Wie würden sie in dieser strohblonden Umgebung auf meine Erscheinung reagieren? Was für ein Typ mochte mein Zimmergenosse sein?

Während mich diese Fragen beschäftigten, öffnete sich die Tür, und mein Bettnachbar trat ein. Natürlich war er blond und sah gut aus, hatte aber das Gesicht eines verzogenen Kindes. Überrascht blieb er in der Tür stehen, als er den Fremden in seinem Zimmer sah. Ich lächelte ihn sofort an und stellte mich als den Neuen vor. Ich umriß kurz den Lebenslauf, den ich mir zugelegt hatte. Er gab seiner Freude darüber Ausdruck, mit mir das Zimmer zu teilen, grüßte mich mit einem »Heil!« und stellte sich seinerseits als Gerhard R. vor.

Ich hatte sogleich das Gefühl, daß mir dieser Junge keine Unannehmlichkeiten bereiten und ich mich mit ihm verstehen würde. Wir unterbrachen uns, als wir draußen die Stimme des diensthabenden Scharführers hörten: »In fünf Minuten Abmarsch zum Speisesaal!« Ich würde in ihrer Uniform und in ihren Schuhen mitmarschieren. Laut würden meine Schritte auf den Fliesen hallen, und ich würde mich im Takt des Links-Rechts, Links-Rechts ihres berüchtigten Marschtritts fortbewegen, der Europa niederwalzte und die ganze Welt erschauern ließ.

Ich räumte die letzten Sachen weg und verließ mit Gerhard das Zimmer. Im Flur reihte ich mich in den Strom der aus ihren Zimmern flutenden Schüler ein und spürte ihre fragenden Blicke. Denen, die neben ihm gingen, erklärte Gerhard, ich sei ein neuer Schüler und komme direkt von der Front. Er hatte keine Ahnung, welch unschätzbaren Dienst er mir da erwies. Bei meiner ersten Begegnung mit den anderen lag sogleich meine Trumpfkarte auf dem Tisch: ich, der freiwillige, der ruhmbedeckte Frontkämpfer! Das sollte mir in den Jahren, die ich dort verbrachte, stets zugute gehalten werden.

Jeder wußte, was er zu tun hatte, und die Schüler bildeten rasch Viererreihen. Der Scharführer bat mich, mich ihnen noch nicht anzuschließen, sondern auf das Eintreffen des Heimführers zu warten. Mir war klar, daß der erste Eindruck über alles entschied.

Als der Heimführer aus dem Haus kam, deutete er auf mich, nannte laut meinen Namen und meine deutsche Herkunft, so daß alle es hörten. Dann gab er eine genaue Schilderung meiner »kriegerischen« Vergangenheit und hob hervor, daß mich der Kommandant meiner Einheit hergeschickt habe, damit ich meine Ausbildung fortsetzte und die Kenntnisse über mein Vaterland vertiefte. Alle hätten daher Befehl, mir behilflich zu sein. Im Grunde meines Herzens wußte ich, daß dieses ganze Gerede über meinen Beitrag zum Rußlandfeldzug, über die Tapferkeit, die ich, ein halbes Kind noch, bewiesen hätte, über meine Bereitschaft, für *Führer* und Volk mein Leben zu opfern, dummes, hohles Geschwätz war. Nur dem Teufel konnten solche Albernheiten einfallen. Aber in meiner seelischen Not waren diese Ermunterungen Balsam für mich.

Gestehen muß ich aber auch, daß ich bald anfing, an mein eigenes Lügengespinst zu glauben und mich damit zu identifizieren.

»Rechts, rechts, vorwärts, marsch!« kommandierte der Scharführer. Man befahl mir, in der letzten Reihe näher aufzuschließen.

Ja, es ist wahr, ich verfiel in ihren Tritt... ich paßte mich ihrem Rhythmus an...

Ohne Weisung, wie selbstverständlich stimmten alle begeistert ein Lied an. Ich kannte die Lieder *Auf der Heide wächst ein Blümelein, das heißt Erika* oder die *Lorelei* und summte sie innerlich mit.

Plötzlich hielt ich inne, spitzte die Ohren, denn es folgte ein Lied, das ich noch nie gehört hatte:

> *Die Juden zieh'n dahin, daher*
> *Sie zieh'n durchs Rote Meer*
> *Die Wellen schlagen zu*
> *Die Welt hat Ruh'.*

Sie hatten Gott den Auszug aus Ägypten, daß er seine Kinder trockenen Fußes über das Meer geleitete, anstatt sie in den Fluten zu ertränken, immer noch nicht verziehen. Als wir uns dem Speisesaal näherten, begannen sie ein neues Lied. Ich hörte die schrecklichsten und mörderischsten Verse, die der

Menschheit je eingefallen sind: »Erst wenn vom Messer spritzt das Judenblut, dann geht's uns nochmal so gut.«

Man sang dieses Lied, während man sich an einen reich gedeckten Tisch begab. Würde ich überhaupt etwas hinunterbekommen?

Etwas Heilloses, ein barbarisches, unmenschliches Odium haftete diesem Gesang an. Das Hämmern ihrer genagelten Stiefel war weithin vernehmbar. Entsetzt flohen Millionen von Menschen vor ihnen. Sie verhießen Besatzung und Zerstörung, getreu ihren Worten: »Wir werden weiter marschieren, bis alles in Scherben fällt. Heute gehört uns Deutschland und morgen die ganze Welt.«

In diesem machtvollen Rhythmus erreichten wir den Speisesaal… Der Saal, dessen Akustik es mit der einer Kathedrale aufnehmen konnte, war der ganze Stolz der Schule. Wandmalereien stellten Wikingerhelden, flammende Hakenkreuze, Gewehre, Blumen und Pflüge dar… Die riesige Halle faßte bis zu hundert Schüler. Mir fiel auf, daß sich niemand setzte. Alle standen kerzengerade an den Tischen, den Blick auf eine kleine Empore gerichtet, die sich unterhalb der hohen Decke an der Stirnseite des Saales befand. Dort thronte der diensthabende Heimführer hinter einem Mikrophon und machte Anstalten zu sprechen. Er setzte eine feierliche Miene auf und wartete, bis das letzte Flüstern verstummt war. Ich fragte mich, welche Andacht sie hier wohl inszenieren würden, und schielte zu meinem Nebenmann hinüber, um sofort jede Geste und jede Lippenbewegung nachzuahmen.

Es herrschte Totenstille. Der Heimführer ergriff das Wort. Die Akustik verstärkte sein Stimmvolumen. Ich hatte Mühe, mich zu konzentrieren und das Gesagte zu verstehen. Das Lied vom Judenblut, das vom Messer spritzt, klang mir noch in den Ohren. Ein paar Wörter schnappte ich auf: »Reinerhaltung der Rasse, stark sein, Lebensrecht…« Ich dachte: »Natürlich, alles Nazi-Vokabular!« Und wußte in diesem Moment nicht, daß ich dieselben Begriffe in den folgenden drei Jahren lernen und lehren würde…

Der Speisesaal der HJ-Schule.

Er kam zum Schluß seiner Ansprache und wünschte guten Appetit. Wir begannen zu essen. Man trug uns heiße Gemüsesuppe, Brötchen, Käse und Kunsthonig auf. Zum Nachtisch gab es Tee.

Gerhard hatte sich neben mich gesetzt und richtete als erster das Wort an mich. Er konnte seine Neugier kaum bezähmen und sagte so laut, daß die anderen es hörten: »Los, erzähl! Wie ist der Krieg dort hinten?« Ich hatte größte Lust, ihm zu erwidern, er möge zum Teufel gehen und mich in Ruhe lassen. Ich war so müde. Aber selbstverständlich fing ich an, von den Schlachten und dem Leben der im Krieg gegen den »jüdischen Bolschewismus« kämpfenden Soldaten zu berichten. Ich war nie ein besserer Märchenerzähler als damals. Ich schlug sie mit meinen Geschichten in den Bann. Mein militärisches Führungszeugnis, ausgestellt vom Kommandeur der »ruhmreichen 12. Panzerdivision«, belegte die Glaubwürdigkeit meiner Erzählungen. Ich brauche nicht hinzuzufügen, daß die Unterschrift eines aktiven Generalmajors Skepsis erst gar nicht aufkommen ließ. Übertreibungen vermied ich, ich wußte ja, welche Bedeutung ein Kriegsheld in ihren Augen hatte.

Eine Stunde nach Beendigung der Mahlzeit saß ich noch immer in der Gruppe, die sich um mich gebildet hatte. Ich beantwortete ihre Fragen und beschrieb im Detail, was die Division durchgemacht hatte. Ihnen blieb buchstäblich der Mund offenstehen. Dabei waren sie weder dumm noch besonders naiv. Sie gehörten zu jener städtischen Jugend, die im allgemeinen recht gebildet war. Doch man hatte sie einer regelrechten Gehirnwäsche unterzogen, man träufelte ihnen das Gift einer korrumpierten Wissenschaft ein und verwandelte ihre Vaterlandsliebe in Fanatismus. Man machte aus ihnen gläubige Anhänger Adolf Hitlers, die ihrem falschen Propheten mit Haut und Haaren ergeben waren. Dieser Jugend hatte man jeden eigenen Gedanken, allen kritischen Geist ausgetrieben, sie folgte blind dem Prinzip: »*Führer, befiehl, wir folgen!*«

Die NS-Politik verlangte bedingungslosen Gehorsam der Obrigkeit gegenüber. Eine Diskussion gab es nicht. Gewählt wurde nicht. Die Mehrheit äußerte sich nicht. Einzig die vielen kleinen und großen Führer trafen die Entscheidungen, die die Untergebenen dann widerspruchslos in die Tat umsetzten.

Die Unterhaltung versiegte, und ich war höchst erleichtert darüber. Wir verteilten uns auf die Zimmer, obwohl an diesem Abend eine Veranstaltung geboten wurde und auch im Lehrsaal eine Versammlung stattfand. »Hoppla, Schloimele!« dachte ich, »dir wird hier nicht langweilig werden.«

Im Zimmer setzte sich Gerhard an seinen Schreibtisch und öffnete seine Hefte. Zum ersten Mal hatte ich Gelegenheit, mich auf meinem Bett auszuruhen. Meine Gruppe war an diesem Abend zum Glück vom Dienst befreit worden.

Im zweiten Obergeschoß bereitete nämlich eine Gruppe Plakate und Informationsmaterial für einen Umzug vor, der, begleitet vom Schulorchester, durch die Straßen der Stadt führen sollte, um die Bevölkerung über mögliche Bombenangriffe aufzuklären. Man forderte sie auf, die Luftschutzkeller zu reinigen und einzurichten, sie für Notsituationen mit Löschgerät und Erste-Hilfe-Taschen zu versehen.

Ich ging in den Lesesaal. Mich interessierten besonders die Frontberichte in den Zeitungen. Ich stieß auf zahlreiche schwarzumrandete Traueranzeigen unter einem Eisernen Kreuz, in denen stets dieselbe Floskel verwandt wurde: »Für *Führer,* Volk und Vaterland auf dem Feld der Ehre gefallen. Die trauernden Hinterbliebenen.« Den Berichten zufolge stand an der Front alles zum Besten, wich der Feind angeblich wegen schwerer Verluste zurück. Passagen aus Hitlers letzter öffentlicher Rede wurden zitiert, in denen er in seiner hysterischen Verblendung behauptete, die Wehrmacht halte problemlos Holland, Belgien, Norwegen und andere europäische Länder besetzt. »Sogar Stalingrad ist unser und wird es bleiben…!« Selbstverständlich waren Tausende von Anhängern abgebildet, die begeistert dem *Führer* zujubelten. Zehn Tage später sollte in ganz Deutschland eine dreitägige Volkstrauer herrschen, weil die 6. Armee unter ihrem Oberbefehlshaber Generalfeldmarschall von Paulus von der Roten Armee aufgerieben worden war.

Auf den Innenseiten machte mich ein kleiner Artikel über den Madagaskar-Plan stutzig, dem zufolge die Juden vertrieben werden sollten, damit Europa »judenrein« werde. In diesem Zusammenhang ist folgende Tatsache bemerkenswert: Ich freute mich nicht über den Sieg der Russen in Stalingrad, und die geplante Vertreibung nach Madagaskar beunruhigte mich nicht sonderlich. Anscheinend hatte ich einen Kompromiß geschlossen, hatte sich eine Art seelisches Gleichgewicht zwischen Jupp und Salomon eingestellt und war zu einer neuen Persönlichkeit zusammengeschossen, die den äußeren Herausforderungen und den inneren Konflikten gegenüber unempfindlich blieb. Ich versuchte, mir lieber erst gar nicht die Tragweite des Madagaskar-Dekrets vorzustellen. Ich hatte das

Gefühl, dies ginge mich nichts an, und brachte es nicht mit meiner Person in Verbindung. Ich konnte und wollte mir nicht vorstellen, daß meine Eltern dann zu der Gruppe der Ausgewiesenen gehören würden.

Die Geheimnisse einer zerstörten Seele sind bisweilen grausam unergründlich. So glaubte ich unerschütterlich weiter an meinen persönlichen Schutzengel, der mein Schicksal bestimmte. Nicht ein einziges Mal unternahm ich den Versuch, mich eines Besseren zu besinnen oder mich gegen ihn aufzulehnen. Er war für mich kein Gott irgendeiner Religion, er war mein persönlicher Gott, mein Privatgott, an den ich glaubte. Keineswegs wollte ich gegen etwas aufbegehren, was mir diese höhere Macht vorschrieb.

Eine monatlich erscheinende, prächtig aufgemachte Hitlerjugend-Illustrierte, *Die Fanfare,* erregte meine Aufmerksamkeit, und ich begann zu blättern. Es war die Zeitschrift des örtlichen Banns 468. Zwischen Meldungen über das Schulorchester und die Werkstätten wurden die Zöglinge aufgefordert, den Frontsoldaten Briefe zu schreiben, sie moralisch zu unterstützen, sie der Liebe des Vaterlands und des Vertrauens auf den Endsieg zu versichern. Das ließ mich den Vorsatz fassen, bald meiner alten Einheit und Hauptmann von Münchow zu schreiben. Ich wollte Nachricht von ihnen erhalten, erfahren, wer auf dem Schlachtfeld gefallen sei.

Es war mir ein besonderes Bedürfnis, auf irgendeine Weise mit diesen Männern, die ja eigentlich meine Todfeinde hätten sein müssen, in Verbindung zu bleiben; uns hatten die Fäden eines gemeinsamen Schicksals zusammengehalten. Ihre ständige Sorge um mein Wohlergehen und die Gefahr, gemeinsam und auf ewig in fremder Erde zu ruhen, verbanden mich mit ihnen. Vor allem aber hatte sich Salomon inzwischen in Josef, den Hitlerjungen, verwandelt... Ich erinnere mich noch, wie sie sich bemüht hatten, ein Mittel gegen meine quälenden Knieschmerzen aufzutreiben. Weder Heinz' Schmerztabletten noch die anderen Arzneien hatten gewirkt. Aber ein einfacher Soldat heilte mein Leiden schließlich.

Er hatte mehrere Birkenzweige eingeschnitten und den dicken Saft aufgefangen. Ich hatte mir mit diesem Harz mehrmals die Knie eingerieben, und die Schmerzen verschwanden wie durch ein Wunder, als hätten sie nie existiert. Ich bin nicht sicher, ob das »Birkenwasser« die Heilung herbeigeführt hat, es war aber tröstlich, festzustellen, daß sich ein völlig unbeteiligter Mensch um das Schicksal eines verlassenen Jungen scherte.

Da ich in ständiger Lebensgefahr schwebte, waren diese kleinen Aufmerksamkeiten wie Sonnenstrahlen in den tiefen Abgrund gefallen, der uns trennte. Ich haßte dieses Regime und lehnte es völlig ab, bewahrte diesen Männer aber meine Zuneigung. Diesseits meiner inbrünstigen Gebete um ihre prompte Niederlage und um die Rettung meiner Familie und meiner Religionsbrüder empfand ich eine Art merkwürdiger Anhänglichkeit für jene, die fallen zu sehen mein sehnlichster Wunsch war: sicherlich unbegreiflich für jemanden, der eine ausschließlich eindimensionale Sicht der Dinge hat.

Als ich wieder in mein Zimmer zurückkam, lag Gerhard bereits mit einem Buch im Bett. Wenige Minuten später tat ich desgleichen. Ich atmete tief ein und aus. Ich weiß nicht, was mich veranlaßte, Gerhard die Höflichkeitsfrage zu stellen: »Woher kommst du?« – »Ich bin ganz aus der Nähe, aus Peine.« Seine Antwort überraschte mich derart, daß ich aus dem Bett springen und entzückt ausrufen wollte: »Welch unglaublicher Zufall! Ich komme auch aus Peine!« Damit hätte ich das ganze zerbrechliche Lügengebäude und meine Überlebenshoffnung zerstört, mich selbst zum Tode verurteilt. Ich wußte, daß ich verloren gewesen wäre, hätte ich mich nur ein einziges Mal versprochen, und daß mir jede spontane Äußerung verboten war. So bezwang ich mich, spielte den Unwissenden und fragte: »Wo liegt Peine?« Sehr höflich erklärte er mir: »Oh, nicht weit von hier, etwa zwanzig Kilometer von Braunschweig entfernt. An einem der nächsten freien Sonntage lade ich dich zu mir ein. Ich bin sicher, daß sich meine Eltern freuen würden, dich kennenzulernen, und du könntest

bei der Gelegenheit die Stadt besichtigen.« Mit einem kurzen
Danke und einem Gutenachtgruß beendete ich diese Unterhaltung voller Fallstricke.

Ich wühlte meinen Kopf in das Kissen und hoffte einzu-
schlafen. Ich dachte an meine Zukunft, an das, was sie für
mich bereithielt. Hätte Gerhard in diesem Augenblick den
Kopf gedreht, hätte er mein aufgeregtes Gesicht gesehen und
seinen Zimmernachbarn etwas verdächtig gefunden. Glücklicherweise blickte er zur Decke.

Guten Tag, Deutschland! Guten Morgen, Schule! Ich habe
in der ersten Nacht sehr gut in deinem Bett geschlafen, einem
Geschenk des Dritten Reiches. Es war ein erholsamer Schlaf,
aus dem kein schlechter Traum mich aufschreckte.

Allem Anschein nach fühlte sich der frischgebackene Hitlerjunge Jupp wohl in seiner Rolle, sehr im Gegensatz zum
Schloimele im Waisenhaus von Grodno, der seine Laken zum
Trocknen hatte aufhängen müssen. Er gehörte ganz und gar
zu dieser Elite junger deutscher Männer. Jupp erinnerte sich
kaum noch an Salomon. Er hatte ihn zugedeckt, er versuchte,
die Vergangenheit zu vergessen, und dies einzig, um Schloimele Perel, dem Sohn Israels und Rebekkas, dem Enkel des
Weisen von Wilkomir und des Reb Eliahu Bar Halperin das
Leben zu retten. Tief im Innern mahnte ihn manchmal etwas
daran, es war der Funke des Ursprungs, der nicht erloschen
war und niemals verglimmen würde.

Draußen schien die Frühlingssonne. Der berauschende Duft
der Grünflächen und Blumenbeete drang durch die offenen
Fenster. Ich erhob mich und betrachtete meine neue Welt. Die
Schönheit der Landschaft bestärkte mich in meinem Vorsatz,
und ich gab mir das Versprechen, mich nicht entmutigen zu
lassen, bis Leben und Freiheit wieder triumphierten.

Auf dem Weg zur Morgentoilette in den Waschräumen
summte ich die berühmte Melodie *Lili Marleen*. Höflich lächelnd erwiderte ich die von allen Seiten mir entbotenen »Guten Morgen«, und »Heil«. Dann legte ich mit Sorgfalt meine
Uniform an. Sie war tadellos gebügelt, wie es sich für den

morgendlichen Marsch zu unserem »Kraft durch Freude«-Tempel geziemte. Die Nazis hatten die Kraft auf ihre Fahnen geschrieben und die Nachbarstadt Wolfsburg in »KdF-Stadt« umgetauft. Hier befand sich das Hauptwerk von *Volkswagen.* Wir sollten es auf unseren verschlungenen Wegen noch besuchen.

Ein köstliches Frühstück – wieder mit Kunsthonig –, dem eine unerwartete und fröhliche Unterhaltung mit dem Heimführer folgte, erhöhte meine gute Laune. Ich machte kein Aufhebens mehr von meinen vorgestrigen inneren Spannungen. Diese Kunstnahrung, die natürlichem Honig in Geschmack und Farbe zum Verwechseln ähnlich war, beschäftigte mich. Später erklärte mir jemand, daß es sich um ein Erzeugnis handle, das die Deutschen aus Kohle gewönnen. Bestimmte, bei der Raffinierung ausfallende Substanzen wurden zur Herstellung des mineralstoffreichen eßbaren »Honigs« verwandt. Ich mochte diese eigenartige Paste gern. Jetzt verstand ich auch den Sinn der neben den Steckdosen angebrachten Aufkleber mit der Karikatur eines Lumps mit rußgeschwärztem Gesicht und Augenklappe, seine Beute auf dem Rücken: einen Sack Kohlen. Die Aufschrift mahnte: »Sei nicht auch Du ein Kohlenklau. Spar Energie und schalte das Licht aus!«

Nach dem Frühstück sollte ich im Hauptbüro bei Fräulein Köchy vorsprechen. Eine solche Mitteilung ließ mich sofort zusammenzucken und verursachte mir Bauchschmerzen. Was wollte man denn schon wieder von mir? Ich baute mein Bett fertig, und während meine Heimkameraden in ihre jeweiligen Klassen gingen, machte ich mich auf die Suche nach Fräulein Köchy. Eine bedrückende Stille herrschte in dem Gebäude, in dem ich zum ersten Mal dem Bannführer begegnet war. Nur die zuschlagenden Türen und leises Stimmengewirr ließen auf die Anwesenheit von Menschen schließen. Rechts von der Eingangshalle stieß ich auf eine weiße Tür mit dem Zeichen des Deutschen Roten Kreuzes: »Krankenrevier«. Ich bleib kurz stehen, und plötzlich überlief es mich eiskalt: Eine neue Gefahr drohte, die Untersuchung. Daß ich daran nicht gedacht hatte! Jeder Anfängerarzt würde auf der Stelle meine Beschneidung entdecken. Ginge ich zu ihm hinein, käme ich zwar wahrscheinlich wieder heraus, aber auf meinem letzten Weg.

Ich hatte einfach nicht das Recht, krank zu werden. Mühelos fand ich Fräulein Köchys Büro und meldete mich bei ihr. Sie war etwa fünfundzwanzig Jahre alt, Brillenträgerin, wirkte sympathisch, aber fast häßlich und völlig unweiblich. Später nannte auch ich sie bei ihrem Spitznamen, das »Bügelbrett«. Ihr Lächeln und ihre Liebenswürdigkeit gefielen mir aber auf der Stelle. Ich mochte sie auf den ersten Blick. Noch heute verbinden uns Zuneigung und Freundschaft, und wir haben uns mehrmals getroffen. Sie ist noch immer ledig und scheint heute schöner zu sein als in ihrer Jugend. Sie bat mich, Platz zu nehmen, und ich freute mich, aus ihrem Munde zu hören, daß meine jüngste Vergangenheit in der Wehrmacht Eindruck auf sie gemacht habe. Ihre herzlichen Worte beruhigten mich und schmeichelten mir.

Über den Grund meiner Anwesenheit freute ich mich weniger. Ich hatte noch einige persönliche Angaben zu meiner Akte und zu den psychologischen und technischen Tests zu machen, die ich ablegen sollte. Ich hatte schon von den Werkstätten gehört, wußte aber nicht, was man dort tat. Fräulein Köchy gab mir eine befriedigende Erklärung. Die im Hitlerschen Geist stehende Schule wage das erste Experiment dieser Art in Deutschland. Sie verbinde politischen und naturwissenschaftlichen Unterricht mit technischer Arbeit in der Produktion, die im benachbarten Volkswagenwerk gelehrt werde.

Ich beherrschte schon meisterlich die Kunst, meinem Privatleben ständig »neue« Einzelheiten hinzuzufügen, daher verlangte mir dieses Verhör keine besondere Anstrengung ab. Die folgende Frage aber sauste wie ein Keulenschlag auf mich nieder: »Name und Abstammung der Eltern?« Obwohl mir die Frage bereits vom gewissenhaften Hauptmann gestellt worden war und ich damals wie aus der Pistole geschossen geantwortet hatte, wurde ich einen Augenblick unsicher und errötete. Die Frage hatte jäh die dicken Schalen durchstoßen, hinter denen ich mich verschanzt hatte, und im Handumdrehen meinen schrecklichen Schmerz aufbrechen lassen. Ohne die Lippen zu bewegen, murmelte ich: »Mama... Papa... wo seid ihr?« Bittere Tränen stiegen in mir auf. »Ich bedauere, ich kann Ihre Frage nicht beantworten. Ich bin schon in frühester Jugend im Waisenhaus abgegeben worden. Meine Eltern habe ich nie zu Gesicht bekommen... Ich bin allein.« Ihre Miene zeigte unverhohlenes Mitleid, und sie trug diese Angaben in meine Akte ein.

Wieder einmal staunte ich, daß falsche Auskünfte arglos und ohne Überprüfung einfach hingenommen und niedergeschrieben wurden. Keiner der peinlich genauen Beamten der verschiedenen Polizeidienststellen, der Gestapo oder Inneren Sicherheit hatte sich die Mühe gemacht, meinen Angaben auf dem Standesamt von Grodno nachzugehen. Ihr Vertrauen in mich bleibt mir ein Rätsel. Haben diejenigen recht, die glauben, daß alles in einem Menschleben von Anbeginn geschrieben steht?

Die sympathische Sekretärin bemerkte meine Verwirrung nicht. Gott sei Dank. Das Gespräch verlief reibungslos. »Ja, ich spreche noch andere Sprachen, Russisch und Polnisch.« Daß ich in Grodno auch Jiddisch gelernt hatte, erwähnte ich nicht, dies war der geheime Schatz Salomons, über den ich Stillschweigen bewahrte. Kurz: Ich wurde als regulärer Schüler in diese einzigartige Einheit der Hitlerjugend, Bann 468, Niedersachsen Nord, Braunschweig, aufgenommen.

Bevor mich Fräulein Köchy in den Nebenraum zu den psychotechnischen Tests schickte, tauschten wir noch einige liebenswürdige Höflichkeitsfloskeln aus. Ich fühlte, wie mir ihr herzlicher Blick folgte. Ich hatte natürlich nicht vergessen, bevor ich das Zimmer verließ, mit einem zackigen »Heil Hitler!« zu grüßen. In einem faschistischen, totalitären Regime wie diesem konnte man nie wissen, was in den Köpfen der anderen vorging. Auch deshalb war es unbedingt ratsam, solche Rituale nicht zu mißachten. Eine Nachlässigkeit in diesem

Zusammenhang konnte das Bild trüben, das ich von mir abgeben wollte.

Im Nebenbüro mußte ich ein Metallobjekt bis auf das letzte Stück auseinandernehmen und binnen einer bestimmten Zeit wieder zusammensetzen. Ich gab auch diesmal mein Bestes. Ich wußte, daß ich dieses kleine Hindernis fehlerlos überwinden mußte, und der Erfolg war mir beschieden. Ich zeichnete mich unter den Ersten aus. Ich erhielt Schulmittel und Bücher, von denen ich gehört, die ich aber nicht gelesen hatte, darunter *Mein Kampf* von Adolf Hitler und *Der Mythus des 20. Jahrhunderts* von Alfred Rosenberg, dem Chefideologen der NSDAP. In den folgenden drei Jahren habe ich diese beiden Werke, die in der nationalsozialistischen Ideologie eine Schlüsselstellung einnahmen und die Grundlagen der nationalsozialistischen Rassentheorie schufen, bis zum Überdruß widergekäut.

Die gängigen Fächer, die in den Schulen der ganzen Welt gelehrt werden, nahmen mich nicht über Gebühr in Anspruch, im Gegenteil; mich mit ihnen zu beschäftigen, war mir eine moralische Unterstützung und eine Befriedigung. Ich begriff rasch und schätzte, was man mir vermittelte. In Lodz hatte mir ein Erzieher vorausgesagt, daß ich Professor werden würde. Auch in Grodno hatte ich zu den »Besten der Lehre und Disziplin« gehört, und mein Photo hing an der Ehrentafel der Oberschule. Es war die »Rassentheorie«, die mich auf das Schlimmste und Schmerzhafteste belastete.

Jetzt, vier Jahrzehnte später, muß ich mein Gedächtnis anstrengen, um wieder hervorzukramen, was ich damals gezwungen war zu pauken. Dazu versenke ich mich in mich selbst, schließe mich gegen die Außenwelt ab, mache die Augen zu, streiche mir mit den Fingern übers Kinn… und gehe zurück, bis ich wieder in meinem Klassenzimmer bin, ich setze mich auf meinen Platz in der Mittelreihe. Mein Magen verkrampft sich und tut mir weh. Genau wie damals. Ich bin wieder siebzehn Jahre alt und sitze in meiner hakenkreuzgeschmückten Uniform gespannt zwischen den anderen, der

Dinge harrend. Gleich wird sich die Tür öffnen und der Rassenkundelehrer eintreten. Er ist jung, hat helles, kurzgeschnittenes Haar, eine dünne goldfarbene Nickelbrille. Er trägt eine braune SA-Uniform und schwarze Stiefel. Die Schüler fahren hoch, stehen stramm und brüllen wie aus einem Munde: »Heil Hitler!« und setzen sich wieder, nachdem sie den Arm gesenkt haben.

Alle Schüler saßen dann mit vorgerecktem Hals da, reglos, den Blick starr auf den Lehrer geheftet. Das minutenlange Schweigen war mir besonders unerträglich. Es knisterte vor Spannung.

Der Lehrer schlug ruhig das Klassenbuch auf, schaute langsam in die Runde und überprüfte die Anwesenden, trug etwas ein und begann mit dem Unterricht.

Seine gegen mein Volk gerichteten Lehrsätze ließen mich innerlich aufschreien. Ich verharrte in meiner Bank, ein Gefangener, und wartete ungeduldig auf das befreiende Läuten. In den Pausen stellte ich mich abseits und versuchte, mich bis zur nächsten Stunde wieder zu beruhigen.

Wie konnte ich mich nur zwischen sie setzen und die Gesetze über die Ausblutung des jüdischen Volkes lernen und dabei bei Verstand bleiben? Die Erklärung ist darin zu suchen, daß ich mir der ganzen Abscheulichkeit der Situation, in der ich mich befand, nicht bewußt war. Ich litt unter permanenter Verfolgungsangst. Ein unerwarteter Aufruf meines Namens oder die Aufforderung, mich bei einem Vorgesetzten zu melden, lösten sofort Alarmsirenen und den schrecklichen Gedanken in mir aus, meine letzte Stunde sei gekommen. Für mich war jeder Fremde, der in meinem Gesichtsfeld auftauchte, ein Gestapomann, der mich verhaften wollte.

Die meisten Passagen ihrer Lehre versetzten mich sofort in Furcht und Schrecken. Eines der Kapitel hieß: »Charakteristische Unterscheidungsmerkmale der Juden«. Unterrichtsziel: »Erkenne deinen Feind!« Auf einer Wand in unserem Klassenzimmer hingen zur Anschauung großformatige Photographien von jüdischen Gesichtern im Profil und von vorn.

Zu sehen war auch eine Zeichnung vom ewigen Juden, einem verhutzelten Mann, der sich auf einen Stock stützte, Fetzen auf dem Leib und einen Lumpensack auf dem Rücken trug. Die Bildunterschrift besagte: »So sind sie aus dem Osten gekommen…« Auf dem folgenden Photo war derselbe Jude dargestellt, aber diesmal dickbäuchig, prächtig gekleidet und über und über mit Gold und Diamanten behängt, eine Zigarre im listig lächelnden Mund. Unter seinem Fuß wand sich ein deutscher Bauer. Die Bildunterschrift dazu lautete: »… und das sind sie bei uns geworden.«

Jede Einzelheit, jedes Körperglied und jede Schädelform wurden getreu der deutschen Art systematisch behandelt. Die Liste der Unterscheidungsmerkmale wurde täglich länger und füllte schließlich die Wandtafel aus. Die Hand des strebsamen Schülers Jupp, der schließlich ein guter Schüler sein wollte, schrieb, ohne zu zittern, alles genau ab. Nur seine Augen blickten sich mißtrauisch um, ob jemand nicht etwas auffiele an ihm. Denn ich ähnelte vielen uns gezeigten Prototypen, wies viele der uns beschriebenen »Unterscheidungsmerkmale« auf. Ihnen zufolge erkannte man den Juden an der niedrigen Stirn, dem länglichen Schädel, der untersetzten Gestalt (im Gegensatz zum hochgewachsenen Arier), an der langen Hakennase, der Beschneidung, den Plattfüßen, usw. Eines Tages kam noch die Körpersprache hinzu, das Gestikulieren. In diesem Augenblick nahm ich mir vor, meine Worte nach Möglichkeit nicht mehr mit lebhaften Gebärden zu unterstreichen. Wenigstens dies sollte keinen Argwohn erregen.

Ich hatte zunehmend das Gefühl, verfolgt zu werden. Eines Tages wurden mir jedoch unvermutet Unterstützung und moralische Stärkung zuteil. Es geschah bei einem Vortrag über »die völkische Beschaffenheit unserer Gemeinschaft«. »Das Bündnis des deutschen Blutes« bestand aus sechs Rassen; die Herrenrasse, die sich vor allen anderen auszeichnete, war die nordische. Diejenigen, welche ihr entstammten, besaßen Eigenschaften, die sie zu Macht, Organisation, Wissenschaft und Kultur prädestinierten. Daß Gott ausschließlich der nordischen Rasse diese Eigenschaften verliehen hatte, bewies, daß sie – und nur sie – auserwählt worden und fähig war, in der Welt Ordnung zu schaffen und insbesondere das Abendland vor seinem Untergang zu retten: »Gott hat uns erwählt.«

Die Politik des *Führers* und der Partei war bestrebt, die Ausdehnung der nordischen Rasse zu beschleunigen, und zwar unter Einbeziehung der anderen, weniger privilegierten Rassen wie die der Finnen, Westeuropäer, Rumänen und Ostbalten, mit denen sich das nordische Element im Lauf der Generationen und unter dem Einfluß fremder Völker vermischt hatte. Sie bildeten die arische Rasse. Um den »Germanisierungsprozeß«, der zu einem regelrechten Kult geworden war, voranzutreiben, ließ man aus Norwegen junge Männer kommen, die zuvor gründlich untersucht worden waren. In speziellen Einrichtungen brachte man sie mit rein arischen und »absolut koscheren« Frauen zusammen, die von diesen Auserwählten geschwängert werden durften. Man schenkte dem *Führer* die Frucht dieser Verbindungen, als Zeichen der Verherrlichung der nordischen Rasse. Die Neugeborenen, »Sonnenkinder« genannt, wurden zumeist von Familien SS-Angehöriger adoptiert oder in Nationalpolitischen Erziehungsanstalten untergebracht.

Als ich mich eines Tages mit einigen Freunden in einer Bierstube in Braunschweig aufhielt, setzten sich ein paar Studentinnen zu uns. Die eine von ihnen erzählte uns stolz, daß ein Propagandaredner auf das Universitätsgelände gekommen sei und sie dringend aufgefordert habe, sich persönlich an der Ausführung des *Führer*befehls über die Steigerung der Geburtenrate der nordischen Rasse zu beteiligen, da doch das Gebot »Seid fruchtbar und mehret euch« oberstes Gesetz der Volksgemeinschaft sei. Ich habe das Fräulein nicht gefragt, ob sie die Gelegenheit beim Schopfe ergriffen und sich das Vergnügen gemacht habe. Eine meiner im BDM organisierten Bekannten hatte ohne Wissen ihrer Eltern ihre Gebärmutter zu diesem Zweck zur Verfügung gestellt.

Dem gelehrten Propagandaredner zufolge waren die Norweger das einzige Volk, in dessen Adern rein nordisches Blut ohne fremde Beimischung floß, ein Erbe der alten Teutonen und Wikinger.

In unserer Schule waren Jungen aus allen Gegenden des Reichs vertreten. Zur Veranschaulichung und Erörterung der hervorstechenden Merkmale wurden die Schüler rein nordischen Typs und die Schüler anderer rassischer Einschläge einzeln an die Tafel gerufen. Als ich einmal in Gedanken versunken dasaß, drang die Stimme des Lehrers an mein Ohr, der laut meinen Namen sagte und mich aufforderte, mich vor die Klasse zu stellen. Ein Zittern überfiel mich. Welchen Unsinn hatte unser junger SA-Lehrer nun wieder ausgebrütet? Wie sollte ich ihm als Unterrichtsbeispiel dienen? Ich erhob mich und ging an die Tafel, als balancierte ich auf Planken über den Abgrund, als würde ich, der unschuldige Zuschauer, in die Arena zu den Gladiatoren geschickt. Kein Rückzug war möglich, und der Boden öffnete sich nicht, um mich zu verschlucken. Auf dem Weg zur Tafel schaute ich in die Klasse und entdeckte zu meinem großen Erstaunen, daß man mich ganz normal ansah. Auch der Lehrer war wie immer und schien keineHinrichtung im Schilde zu führen. Ich beruhigte mich.

Dann kam die Überraschung: »Schaut euch alle Josef an! Er ist ein typischer Abkömmling der ostbaltischen Rasse.« So sprach der Lehrer. Oh, Himmel, lobet, preiset! Tausende von Forschungsarbeiten der Nazi-Rassenkundler wurden in diesem Augenblick ad absurdum geführt. Ihre Kompetenz war entlarvt als das, was sie war: Null. Ich lächelte verschämt. Man hatte mir Auftrieb gegeben. Ein ausgewiesener Wissenschaftler hatte mir ein hervorragendes Zeugnis ausgestellt. Plötzlich sah ich mich als *koscherer Arier*. Ich empfand meine kohlrabenschwarze Mähne und meine untersetzte Gestalt nicht mehr als Makel, was mir mehr als einmal mißbilligende und erstaunte Blicke eingetragen hatte. Dank dir, Bote aus Satans Reich! Du hast mir wieder Hoffnung gegeben.

– Etwa zwei Wochen nach Kriegsende traf ich diesen »ehrenwerten« Lehrer am Bahnhof in Hannover. Er hieß Borg-

Sally Perel (Mitte) mit einigen Schulkameraden aus der HJ-Schule in Braunschweig.

dorf. Ich war auf dem Weg in das Konzentrationslager Bergen-Belsen und stand ihm plötzlich auf einer Treppe gegenüber. Er fragte mich erfreut, wie es mir gehe und wohin ich führe. »Nach Bergen-Belsen in der Nähe von Celle«, antwortete ich. »Aber ich möchte Ihnen etwas sagen. Sicher erinnern Sie sich an eine gewisse Unterrichtsstunde in Rassenkunde, in der ich als der typische Vertreter der ostbaltischen Rasse vorgeführt wurde. Ich will jetzt den Irrtum eines großen Wissenschaftlers korrigieren und Sie darüber aufklären, daß ich keineswegs dieser Rasse angehöre und noch weniger Arier

101

bin. Ich bin von Kopf bis Fuß reiner Jude!« Dieser Mann war anscheinend ein Meister der Verstellung. Sein unbewegtes Gesicht verriet keinerlei Gefühl. Er versuchte, sein Wissen erneut unter Beweis zu stellen, indem er erwiderte: »Mir sagen Sie das?! Ich wußte es, habe aber alles vermieden, was Ihnen hätte schaden können…!« Ich ließ ihn stehen und ging weiter. Ich bin nicht rachsüchtig. –

Während der letzten Tage, da ich mit der Abfassung dieses Berichts beschäftigt war, ist es mir gelungen, die Rassentheorie, die man mich gelehrt und die ich vergessen hatte, wieder zusammenzubringen.

Den Ausführungen unseres »hervorragenden« Lehrers zufolge rief die geographische Lage Deutschlands im Herzen Europas ständig Konflikte mit den Nachbarländern hervor (was die Geschichte bestätigt). Deshalb waren die Existenz und die Ehre Deutschlands mittelfristig bedroht. Das Heil des Deutschen Reiches lag einzig im Ausbau der militärischen Macht. Um im Kampf zu bestehen, mußte das Volk gesund und stark sein. Es mußte die Naturgesetze anerkennen und nach ihnen leben, und das wesentliche Gesetz sei das der natürlichen Auslese. Überall in der Natur kämpfen die Arten um ihr Überleben. Die Pflanzen machen sich gegenseitig das Licht streitig. Die wilden Tiere fallen übereinander her, um ihr Revier und ihre Nahrung zu verteidigen. Ein flugunfähiger Jungvogel wird aus dem Nest geworfen…

Somit überlebt, diesem Gesetz der natürlichen Auslese zufolge, derjenige, der die anderen bezwingt. Die Natur merzt mitleidlos alles Schwache und Kranke aus. Der junge nationalsozialistische Staat beschloß, dieses Gesetz rücksichtslos anzuwenden. Er begann damit, die Paarung von Schwachen und Starken zu verhindern. Sozialunterstützung und Wohlfahrtsverbände garantierten den Minderbemittelten das Überleben. Diese aber trugen zum Volkswohl nichts bei. Nach den Worten unseres Lehrers rührte das empörende Defizit des Volksvermögens von der Verschwendung der Gelder her, die man für die Schwachen und Kranken aufwandte.

Er sagte ebenfalls, daß sich physische, aber auch psychische Besonderheiten vererbten, so z. B. Willensstärke oder im Gegensatz dazu Faulheit. Daher erlaube es einzig die Kastration der erblich belasteten Bevölkerungsschichten, Geisteskrankheiten, chronische Leiden, Taubstummheit, Blindheit, Körperbehinderung usw. ein für allemal auszuschalten.

Zudem gäbe es in der Natur noch ein weiteres unverrückbares Gesetz: Die Lebewesen pflanzten sich stets nur innerhalb derselben Art fort. Ein Adler paare sich nicht mit einem Raben, ein Tiger nicht mit einer Löwin. Die Ausnahmen, die existierten wie im Falle des Maultieres, einer Kreuzung zwischen Pferd und Eselin –, seien auf menschliches Eingreifen zurückzuführen. Aber auch in solchen Fällen mache die Natur ihre Grenzen deutlich und verhindere, daß sich solche Hybriden fortpflanzten. Die Natur widersetze sich der Vermischung von Artfremdem und bestrafe den Bastard mit Sterilität.

Auch der Mensch unterliege diesem Prinzip. Nähme er fremdes Blut in sich auf weihe er sich dem Untergang, wie der Fall der griechischen und römischen Zivilisationen zeige. Die Mischlinge lebten in einem schizophrenen Zustand. Ihre nationalen Besonderheiten und Merkmale vermischten sich, ihr Denken und Fühlen entartete, und zu guter Letzt sänken sie zu minderwertigen Wesen herab. Daher müsse sich das deutsche Volk nach den Naturgesetzen richten und unempfindlich und unerbittlich werden.

In diesem Zusammenhang fällt mir ein Wahlspruch eines unserer Lehrer ein: »Wir brauchen keine Gelehrten, wir brauchen möglichst viele Vaterlandsverteidiger.« Und auf einem Plakat in einem Klassenzimmer verkündete der *Führer:* »Dein Körper gehört der Volksgemeinschaft, deine Pflicht ist Gesundheit.«

Man lehrte uns auch, daß die Bewahrung der Reinblütigkeit in Deutschland Tradition habe. Über viele Generationen hinweg habe die deutsche Rasse als unantastbar gegolten. Nachdem im 19. Jahrhundert im Gefolge der Französischen Revolution jedoch die Devise »alle Menschen werden frei und gleich geboren« auch vom deutschen Volk angenommen worden sei, seien alle Barrieren gefallen und der Weg zur Blutvermischung geebnet gewesen. Da habe sich dann hauptsächlich jüdisches Blut mit reinem deutschen Blut vermischt.

Die Juden hätten sich dies natürlich zunutze gemacht, um ihren Plan der Unterjochung der arischen Rasse zu verwirklichen. Sie wollten sie knechten und ausbeuten. Zum Beweis der jüdischen Weltverschwörung wurden in der Klasse »die Originaldokumente« des Protokolls der Weisen von Zion verteilt.

Jeder könne selbst den verheerenden jüdischen Einfluß auf Politik, Wirtschaft und Kultur feststellen. Zu allem Übel entstamme die jüdische Rasse einer Mischung aus Mongolen, Asiaten und Negern.

Gewiß ähnele der Jude, biologisch gesehen, einem Menschen, da er Mund, Augen, Gliedmaßen und so etwas wie ein Gehirn besitze. Geistig und moralisch gesehen stünde er aber unter jedem Tier und würde von bösartigen Instinkten beherrscht. Allgemein könne man sagen: »Die Schamlosigkeit des Juden wuchs und kannte bald keine Grenzen mehr.« Niemand dürfe sich also darüber wundern, daß das deutsche Volk in ihm den leibhaftigen Teufel auf Erden sehe.

Ich bekam einen Schock, als uns unser Lehrer in einer dieser Stunden eine Passage aus dem *Stürmer* vorlas. Ein junges Mädchen aus einem deutschen Dorf hatte ihrem Gemeindepfarrer einen Brief geschrieben, in dem sie ihn fragte: »Wurden denn die Juden nicht auch nach dem Ebenbild Gottes geschaffen?«

Die Antwort der Zeitung auf die mutige Anfrage dieses unbekannten Mädchens war erschütternd: »Sie sagen, auch die Juden seien nach dem Ebenbild Gottes geschaffen worden. Wir antworten darauf, daß auch blutsaugendes Ungeziefer und Zekken, die Krankheiten übertragen, von der Natur geschaffen wurden. Zum Schutz der menschlichen Gesundheit haben wir aber die Pflicht, sie mit Stumpf und Stiel auszurotten.«

Ist es da noch ein Wunder, daß die Männer, die mit der

Vernichtung beschäftigt waren, Kinder und Säuglinge in dem Gefühl ermordeten, eine Mission zu erfüllen? Diese grauenhafte Lehre verschaffte ihnen die Rechtmäßigkeit ihres Tuns.

Aber auch ich fühlte, wie ich mich allmählich in den Schlingen dieser verkommenen »Wissenschaft« verfing, zumindest, was manche Aspekte betraf. So leuchtete mir schließlich ein, daß ein höherstehendes Volk ein Recht auf Oberherrschaft habe, oder daß man erbkranken Nachwuchs durch das Fortpflanzungsverbot, das man den Schwachen auferlegte, zu verhindern suchte, damit ein gesundes, tüchtiges Volk heranwachsen könne. Daß ich dieser Ideologie anhing, rief in mir weder Zweifel noch Erstaunen hervor. Salomon entschwand Jupp zunehmend aus dem Gedächtnis.

Eines Tages indes erinnerte sich die deutsche Ordnungsliebe meiner. Ich wurde aufgefordert, im Werksbüro vorstellig zu werden. Sofort überfiel mich Panik. Ich sah schon Vernehmung und Verhaftung über mich hereinbrechen und meine letzte Stunde näherrücken. Sorglos hatte ich die letzten Wochen verbracht, und nun drohte das Kartenhaus plötzlich von neuem zusammenzustürzen. Starr vor Angst ging ich zu meiner Vorladung. Dann gewann mein Optimismus, den ich mir immer bewahrt hatte, wieder die Oberhand und verharmloste die Sache. Je näher ich meinem Ziel kam, desto mehr verdrängte ein seltsames Vertrauen auf meinen guten Stern die Wellen der Angst. Ich redete mir ein, daß mir nichts Schlimmes widerfahren könne. Ich hatte schon andere Prüfungen über mich ergehen lassen müssen und mich jedesmal glänzend aus der Affäre gezogen. Auch jetzt würden mir mein guter Stern und meine Kraft helfen. Meine Verteidigungsstrategien funktionierten ausgezeichnet und würden mich auch diesmal nicht enttäuschen.

Ich meldete mich im angegebenen Büro und traf auf eine BDM-Führerin, die für Personalfragen zuständig war. Meine Art des Hitlergrußes ließ ihr gegenüber keinen Zweifel, auf welchem Fundament ich stand. Zumindest bewahrheiteten sich meine den ganzen Weg über gehegten Befürchtungen nicht, daß mich nämlich Gestapomänner in Empfang nehmen und in die Enge treiben würden. Ich lockerte mich etwas und beruhigte mich innerlich. Ich dachte nicht mehr an die Anspannung der letzten Minuten. Der gleichgültige Gesichtsausdruck der Frau deutete nicht daraufhin, daß ich in der Falle saß. Salomons Stirn glättete sich, und Jupp holte tief Luft.

»Bist du Josef Perjell?« fragte die BDM-Führerin.

»Jawohl!« antwortete ich schneidig.

»Wir haben für dich eine Vorladung vom Gericht erhalten. Du mußt dich baldmöglichst im dortigen Sekretariat melden. Es geht um eine Ordnungsangelegenheit.«

»Inwiefern?« fragte ich sofort.

Sie konnte meine bange Neugier nicht stillen und vermutete, daß es sich um eine bloße verwaltungstechnische Formalität handele. Sie riet mir, mich vom Sportunterricht befreien zu lassen und gleich morgen früh der Vorladung Folge zu leisten.

Ich verließ den sonnendurchfluteten Raum. Hitlers übergroßem Photo gelang es, mich wie eine Spiegelfläche zu blenden. Ich hatte vor, mich mit meinem einzigen offiziellen Dokument, meiner Mitgliedskarte der Hitlerjugend, zu versehen. Ich hoffte, daß der Riesenschwindel am nächsten Tag bei Gericht nicht auffliegen würde. Eigentlich war ich davon überzeugt, daß man mir der Ordnung halber nun endlich eine Kennkarte des Deutschen Reichs aushändigen werde. Dafür wollte ich ihnen durch einen besonders strammen Hitlergruß danken.

Ich ging in meine Klasse und an meine Arbeit zurück. In jener Nacht schlief ich trotz allem wunderbar. Müdigkeit und Erschöpfung, weil ich mit meinem Zimmergenossen Gerhard bis spät in die Nacht gelernt hatte, taten gewiß das Ihre.

Am folgenden Morgen begab ich mich zu der Dienststelle, die mich vorgeladen hatte. Ich ging gemächlich. Den Weg kannte ich gut. Meine Kameraden und ich waren ihn oft erwartungsvoll zum benachbarten Kino gelaufen, wo wir uns die Tonfilme aus der Reichsfilmproduktion ansahen. Wenige Häuser vom Gerichtsgebäude entfernt befand sich eine große

Konditorei. Da ich hin und wieder an ihr vorüberkam, bemerkte ich eines Tages ein braunes Schild an der Eingangstür, auf dem in schwarzen Buchstaben deutlich stand: »Für Hunde und Juden verboten«. Gerade deshalb ging ich bei jeder Gelegenheit hinein und kaufte Kuchen. Es machte mir Spaß, die lächelnde Verkäuferin anzustarren und sie unterwürfig danken zu hören. Jetzt verspürte ich allerdings keine Lust auf ein Stück Schwarzwälder Kirschtorte.

Das Gerichtsgebäude war ein majestätischer Bau, der an die alten Königspaläste erinnerte. Das Herz schlug mir bis zum Hals, als ich eintrat. Der pfeilförmige Wegweiser zeigte mir das Sekretariat, wo ich mich an einem Beamten wandte und meine Vorladung präsentierte. In Habachtstellung wartete ich auf seine Reaktion. »Setz dich«, sagte er höflich und begann, in einem Stapel Papier zu wühlen. »Ach ja, es geht um die Bestellung eines legalen Vormundes für dich.« Ich schwebte im siebenten Himmel. Das drohende Gewitter war abgezogen, und an seiner Stelle überfiel mich unbändige Freude.

Ich sollte meine Identität angeben. Dann legte man mir mehrere Formulare vor, und ich unterzeichnete in Gegenwart des Beamten ein offizielles Schriftstück über die Bestellung eines rechtmäßigen Vormunds. Und wer wurde vor dem Gesetz Großdeutschlands für mich als Verantwortlicher eingesetzt? Kein anderer als der ehemalige Offizier der Waffen-SS, der Heimführer der Hitlerjugend Karl R., mein unmittelbarer Vorgesetzter. Sofort witterte ich hier eine neue Gelegenheit, mit ihm auf das bewegende Ereignis mit einem Glas Cognac anzustoßen. Hier entstand ein wirklich ungewöhnliches Paradox, eine in der ganzen Geschichte des Dritten Reichs einzigartige Anekdote: Ein SS-Offizier nahm – natürlich unwissentlich – ein jüdisches Kind unter seine Fittiche, um vor dem Gesetz die Vaterstelle an ihm zu vertreten.

Unter dem kalten inquisitorischen Blick des Verwaltungsbeamten unterschrieb ich. In ihrem Eifer und ihrem Wohlwollen würden sie eines Tages noch fähig sein, mich mit einem blondbezopften Mädel zu verheiraten. Diese alberne Idee war mir plötzlich gekommen. Bester Laune verabschiedete ich mich von dem Beamten. Fröhlich pfeifend und mit wiegenden Schritten eilte ich den Weg zurück, um dem Heimführer, meinem Vormund, seine neue Rolle zu verkünden und ihm meine Freude über das jetzt zwischen uns geknüpfte Band zum Ausdruck zu bringen.

Wieder war eine »kleine« Gefahr an mir vorübergegangen: Ich war glücklich!

Ich rannte den gepflasterten Weg zum Heim 7 entlang, das um diese Zeit leer war. Auch das Büro des Heimführers war zu meiner großen Enttäuschung nicht besetzt. Ich klopfte vergeblich an die Tür. Also zog ich meine Arbeitskleidung an, um mich zu meinen Kameraden in die Werkstatt zu begeben, und verschob die Ankündigung der Neuigkeit und meinen herzlichen Dank an Karl auf später.

Als ich in die Werkstatt zurückkehrte, schauten mich viele neugierig und fragend an. Ich erklärte ihnen, daß alles in Ordnung sei und es nur um einige Papiere gegangen war. Ich nahm meinen Platz wieder ein und arbeitete da weiter, wo ich am Vortag aufgehört hatte.

Seit 1940 wurde in der *KdF*-Stadt Wolfsburg mit Hochdruck an der Konstruktion und Fertigung des VW-Schwimmwagens gearbeitet. In unserer Werkstatt, die wie die gesamte Schule mit ihren Heimen zum VW-Vorwerk gehörte, mußten wir Spezialwerkzeuge für die geplante Massenproduktion dieses Amphibienfahrzeuges herstellen. Im Herbst 1942 kündigte sich in der *KdF*-Stadt ein großes Ereignis an: die erste Probefahrt des Schwimmwagens. Auch wir waren zu diesem Fest eingeladen. In einem geschmückten Omnibus wurden wir zum VW-Werksgelände in Wolfsburg gebracht, wo die Probefahrt stattfinden sollte. Wir hatten unsere schönsten Uniformen angelegt und hatten Hakenkreuzfahnen dabei. Die ganze Fahrt über sangen wir ausgelassen.

Den Anfang des Festes machte eine Besichtigung der Produktionsstraße des Volkswagenwerks. Die Montagehallen, in denen peinliche Ordnung herrschte, waren mehrere hundert

Meter lang. An den Wänden zeigten Gemälde Motive aus der germanischen Sagenwelt. In diesen Hallen trafen wir auch auf holländische, belgische und französische »Gastarbeiter«, ebenso auf Zwangsarbeiter, die vor allem aus Polen kamen. Sie mußten natürlich auch an diesem Festtag an den Fließbändern stehen. Weder die einen noch die anderen fanden unsere Beachtung. Wie wir ja überhaupt alles verachteten, was »fremd« schien. Man tat außerdem gut daran, sich Ausländern nicht zu nähern. Die deutschen Konstrukteure, Ingenieure und Meister erkannte man an den weißen Kitteln.

Ein Mitarbeiter von Professor Porsche, dem »Vater« des Volkswagens, führte uns durch die Werkshallen und erklärte die einzelnen Herstellungsphasen, angefangen von der Montage der Blechteile bis zur Lackierung und Endfertigung. Am Ende der unvorstellbar langen Fertigungsstraße stand der Wagen funkelnd da und wartete auf die Probefahrt.

Das Volkswagenwerk galt bei den Nazis als Musterbetrieb, und finanziert wurde es zum Teil auch durch eine einzigartige Sparaktion. Jedem Deutschen wurde ein *KdF*-Wagen versprochen: »5 Mark die Woche mußt Du sparen – willst Du im eignen Wagen fahren!« Am Ende erhielt jedoch keiner der fleißigen Sparer ein Auto, war es doch bei dieser Aktion weniger um private Volkswagen als um die Finanzierung von Kriegsgerät gegangen. Zu diesem Kriegsgerät sollte auch der Schwimmwagen gehören – eine mißlungene Konstruktion, die wir damals als Sensation bejubelten.

Nach einem reichhaltigen Mittagessen begaben wir uns endlich auf das Probegelände. Vor uns erstreckte sich ein steiler Abhang, an dessen Fuß ein künstlicher See angelegt worden war. Wir stellten uns ganz in der Nähe auf. Rings um mich erreichte die Begeisterung ihren Höhepunkt, als handelte es sich um eine Entdeckung, von der der Kriegsverlauf abhing und die den ›Endsieg‹ herbeiführen könnte.

Alle waren in bester Feiertagslaune. Wir fühlten uns mitverantwortlich, hatten wir doch erstklassige Präzisionsteile hergestellt und sie in Windeseile vor dem letztmöglichen Termin gerade noch fertigbekommen. Die von uns zusammengebauten Teile waren zum Chassis des neuen Fahrzeugs verwandt worden. Auch diese »Räder rollen für den Sieg«, hatte man uns gesagt. Plötzlich erscholl das Kommando »Ruhe«. Der große Moment war gekommen.

Wir hörten Motorengeräusche, und dann tauchte auf dem Gipfel der künstlichen Anhöhe der Schwimmwagen auf, der auf den ersten Blick nicht anders aussah als ein normaler Geländewagen. Dann brauste er den Abhang hinab. Die Zuschauer hielten den Atem an und verkniffen das Gesicht vor Spannung, bis das Fahrzeug unten klatschend auf dem Wasser aufsetzte, das nach allen Seiten hochspritzte. Im selben Augenblick wurde eine Art Schiffsschraube am Heck des Wagens angeworfen, und tatsächlich, er ging nicht unter, sondern schwamm! Wir waren entzückt, und die anderen auch. Ich ließ mich von dem Beifallssturm mitreißen.

Die Erprobung war gelungen, »das Vaterland gerettet«. Trotzdem verhinderte die Erfindung des Amphibienfahrzeuges die Niederlage nicht.

Berauscht vom Vergnügen und von der Freude über den Erfolg, kehrten wir nach Braunschweig zurück. Die Heime, die Klassenräume und Werkstätten füllten sich mit begeisterten Jugendlichen, die nun ein noch stärkerer Schaffens- und Tatendrang beseelte.

Wir lernten noch engagierter, bohrten, schraubten und schmierten weiter an unseren kleinen Rädchen in dieser gigantischen Kriegsmaschinerie. Später wurde hier auch die *Vergeltungswaffe V1* gebaut.

Die Bombenangriffe der Alliierten auf Städte und Industrieanlagen untergruben unterdessen die Moral des Volkes, störten nachhaltig das Alltagsleben. Der Sieg wurde ungewisser. Mit ihren blauen Augen begannen sie zu sehen, was wirklich geschah, und sie zitterten angesichts der Blutströme, die ihre Wunden nicht aufhören wollten zu vergießen.

Eines Tages wurde der Unterricht abrupt beendet. Wir wurden aufgefordert, uns in die große Halle der Schule zu begeben, um gemeinsam der Rede des Reichspropagandaministers Joseph Goebbels zu lauschen. Die Rede wurde direkt von der Massenversammlung im Berliner Sportpalast übertragen. Doch zuvor zählte der Sprecher die Anwesenden auf: In der ersten Reihe saßen Schwerkriegsbeschädigte mit ihren Medaillen auf der Brust; nicht wenige waren verkrüppelt oder noch in Gips, hinter ihnen hatten Wehrmachtsangehörige, Abordnungen der braunen und schwarzen Organisationen und die Menge der Bürger Platz genommen.

Ich versuchte mir vorzustellen, was geschehen würde. Hier und da wurde wieder Hoffnung laut. Dann erklang Goebbels' erregte Stimme, und er heizte die Atmosphäre auf, indem er der versammelten Menge einhämmerte, daß die »unendlichen Kraftreserven« des deutschen Volkes noch nicht erschöpft seien. Er verurteilte scharf die Luftangriffe der »im Dienst der Juden stehenden« Engländer und Amerikaner als barbarisch. Dann die Eskalation mit der Frage: »Wollt ihr den totalen Krieg?« Der Stoff vor den Lautsprechern vibrierte und wollte schier zerreißen, als die johlende und enthemmte Menge ihm sein »Ja« entgegenbrüllte.

Der totale Krieg wurde ausgerufen. Das Blut jedes feindlichen Fliegers, der auf deutschem Gebiet abstürzte, durfte ungestraft vergossen, er auf der Stelle gelyncht werden. In zahlreichen früheren Vorträgen waren die Briten als die natürlichen und potentiellen Verbündeten des arischen Deutschland dargestellt worden. Aufgrund des beiden Völkern gemeinsamen arischen Blutes wurden die Engländer aufgefordert, sich Deutschland anzuschließen, um das Abendland zusammen von der Gefahr des jüdischen Bolschewismus zu befreien. Es kam anders, folglich wurde Vergeltung geschworen, die V 1 gebaut und das Lied »Bomben auf Engeland« gesungen.

Der stellvertretende Bannführer, ein Kriegsversehrter mit einer Holzprothese, die ein Handschuh bedeckte, sprach mich auf einem Flur des Heims an und teilte mir mit, der Bannführer habe die Absicht, mich während des wöchentlichen Appells am kommenden Sonntag allen Schülern des Banns 468 vorzuführen. Er hörte kaum noch, was ich auf die Ankündigung meiner »Eingliederung« erwiderte, so schnell verschwand er.

Diese Ankündigung stürzte mich aber zunächst wieder einmal in Verwirrung. Fortan und bis zur Stunde des erwähnten Appells lebte ich in permanenter Angst. Ich empfand einen tödlichen Schrecken bei dem Gedanken, mich vor Hunderten von Augenpaaren argwöhnischer und fanatischer Jungnazis aufzubauen. Ihnen hätten an meiner Abstammung plötzlich Zweifel kommen können. Die Folge wären dann unliebsame Fragen und Nachforschungen gewesen. Das Warten auf diesen Appell und die Befürchtungen, die mich bis dahin umtrieben, schlugen mir solch tiefe Wunden, daß sie noch heute nicht verheilt sind und wohl nie vernarben werden.

In der Nacht, bevor ich vorgeführt wurde, hatte ich einen Traum. Ich sah mich vor einer Schar von sauber gekämmten und Ausgehuniform tragenden Nazis stehen. Ihre stechenden Blicke durchbohrten den Schutzpanzer, hinter dem ich mich verbarg. Wir warteten auf die Ankunft des Bannführers, was eine bange Ewigkeit dauerte. Dann kam er und informierte die angetretene HJ lässig: »Hier, ich bringe euch einen jungen Juden!« Das Schrecklichste, was geschehen konnte, geschah: Mit wildem Geschrei stürzten sie sich enthemmt auf mich, rissen mich in Stücke und spießten meinen Kopf auf den Fahnenmast. Dieser Traum verfolgt mich immer noch, fast unverändert. In dem Augenblick, da mein Kopf auf dem Fahnenmast wackelt, schrecke ich aus dem Schlaf hoch, schweißgebadet und nach Luft ringend. Während sich die Traumnebel auflösen, bin ich noch ganz benommen; bin ich aber erst ganz wach, stelle ich glücklich fest, daß ich trotz allem noch am Leben bin. In der Wirklichkeit verlief der Appell ganz anders. Daß er entgegen meinen schaurigen Vorahnungen so gut ausging, überraschte mich.

Nach den üblichen Befehlen: »Stillgestanden! Rührt euch! Achtung! Augen geradeaus!« übernahm der Bannführer das Kommando, verlas den Tagesbefehl, den ich in meiner Verwirrung weder registrierte, geschweige denn verstand.

Dann kam ich an die Reihe. Er setzte alle offiziell davon in Kenntnis, daß ich dem Bann zugeteilt worden sei und meinen Unterricht an der Schule aufgenommen hätte, wie es die Wehrmacht gewünscht habe, in der ich in der 12. Panzerdivision an der Ostfront gedient hätte. Er fügte hinzu, daß er nun die Erklärung verlesen werde, die die Armee geschickt habe und die die Unterschrift des Oberstleutnant Becker trage. Während er damit beschäftigt war und Formulierungen wie »Gute Führung, Tapferkeit und beispielhaftes Verhalten« besonders hervorhob, entdeckte ich erleichtert, daß dieselben Augenpaare, die ich so gefürchtet hatte, mich eher bewundernd, ja voller Hochachtung anblickten. »Als Zeichen der Anerkennung, dem Vaterland gedient zu haben, hat die Führung des Banns 468 beschlossen, dem Mitglied der Hitlerjugend Josef Perjell den Rang eines Scharführers zu verleihen«, schloß Bannführer Mordhorst feierlich.

Die Bewunderung der anderen hatte ihren Grund. Die jungen Deutschen waren nämlich alle wild darauf, an die Front zu kommen und aktiv an den Kämpfen teilzunehmen. Hatte einer der Schüler das Einberufungsalter erreicht und flatterte der Stellungsbefehl ins Haus, verbreitete sich die Neuigkeit in Windeseile, und alle stürzten herbei, um ihm zu gratulieren und sich mit ihm zu freuen. Gleichzeitig war Neid auf denjenigen spürbar, der endlich für *Führer* und Volk kämpfen durfte.

Und hier, während des Sonntagsappells, verkündete man ihnen öffentlich, daß ein gerade siebzehnjähriger Neuling eingetroffen sei, der schon an diesem »ruhmreichen« Krieg teilgenommen, in einer der Panzereinheiten gedient und Rußland auf Panzerspähwagen durchfahren habe, und all dies tapfer und beherzt.

Mit einem Schlag waren alle Barrieren zwischen uns gefallen, und ich war kein Fremder mehr, der versuchte, sich in eine bereits existierende Gemeinschaft einzufügen. Ich wurde wie ein gleichberechtigtes Mitglied, das die gleiche Achtung genoß, aufgenommen.

Ich wußte die neue Lage zu schätzen. Ich atmete freier und fühlte, wie mein Selbstbewußtsein wuchs.

Immer wieder wurden uns die Ziele des Nationalsozialismus gepredigt, wurde uns eingehämmert, daß wir die zukünftige Elite einer neuen Ordnung darstellen würden. Mit diesem Ziel besuchten uns auch hohe Parteigenossen des Gau Niedersachsen. Der Bannführer ging ihnen schon beim Empfang mit großen raschen Schritten entgegen, schlug die Hacken zusammen und hob zackig den Arm. Wir taten es ihm gleich. Der Gauleiter wandte sich zu uns um und antwortete mit einem knappen »Heil Hitler!« Dann hielt er eine Rede und berichtete von seinem Besuch im *Führer*-Bunker, der *Wolfsschanze,* von der aus der *Führer* den Feldzug befehligte. Er sei gekommen, so sagte er, um uns von der großen Gelassenheit des *Führers,* seiner Zuversicht und Standhaftigkeit zu erzählen. Er wollte uns überzeugen, daß der *Führer* die beste Garantie für den Endsieg darstelle. Über die Zukunft sagte er: »Nach dem Sieg, wenn wir die ganze Welt beherrschen, werden wir hunderttausend Führer brauchen.« Und mit dem Finger auf uns zeigend, rief er mit prophetischer Emphase: »Und diese Führer werdet ihr sein!« In dem mit Hakenkreuzfahnen geschmückten Saal wurde es mucksmäuschenstill. Man konnte förmlich hören, wie den Heranwachsenden die Brust vor lauter Größe und Ruhmsucht schwoll. Die Vorstellung, selbst ein Führer zu sein, verzauberte sie. Und sogar Jupp murmelte in sich hinein: »Also, hast du gehört, Schloimele? Du könntest eines Tages sogar ein kleiner Führer werden…«

Ende 1942, als die deutschen Erfolge ihren Höhepunkt erreicht und der Ost-Feldzug als siegreich beendet angesehen wurde, zweifelte niemand von uns am Dritten Reich. Selbst Jupp glaubte daran. Ein Sieg folgte auf den anderen, und die Propaganda ließ Zweifel gar nicht erst aufkommen. Es war schwierig für die Jugend, sich von der strahlenden Zukunft, die sie erwartete und die man ihr verhieß, nicht beeindrucken zu lassen.

Hin und wieder beschäftigte mich die Frage, welcher Platz

und welches Schicksal mir in einem künftigen, die ganze Welt beherrschenden Deutschland beschieden sein würde. Die Aussicht bedenkend, daß auch ich meinen Teil Ruhm abbekommen würde, wie die Parteigenossen behauptet hatten, bekam ich eine Gänsehaut, aber wie immer wußte ich mich zu beruhigen. Ich zählte auf meine Anpassungsfähigkeit an alle Situationen, auch in einem künftigen Deutschen Reich, das aus den Trümmern eines »schwachen, verkommenen Europas« erstehen würde.

Wie immer auch meine Rolle aussehen mochte – einer Sache war ich mir gewiß: Jupp würde niemals das oberste Gebot vergessen, das lautete, Salomon zu schützen, dessen Funke seines Ursprungs weiterglühte und niemals verglimmen würde.

Das Leben des Hitlerjungen Jupp nahm seinen vorbestimmten Gang. Ich war sehr froh, daß Karl R. vom Gericht zu meinem Vormund ernannt worden war – für mich war er schließlich mehr als der Heimführer. Ich entwickelte eine Art Vertrauen zu ihm, denn er war mir von Anfang an offen und hilfsbereit gegenübergetreten. Das beruhigte mich und gab mir auch immer wieder Sicherheit. So ging ich in seine Kanzlei, um mich für seine Bereitschaft, diese Vormundschaft zu übernehmen, zu bedanken. Einmal mehr war das eine der Gelegenheiten, um zu plaudern und miteinander anzustoßen. Er kannte meine wahre Geschichte nicht, und trotzdem fanden wir eine bestimmte Basis, auf der wir uns verstanden. Ein neuer Vater oder auch nur Vaterersatz hätte er niemals für mich sein können. Welch eine Vorstellung, ging doch mein wahrer und geliebter Vater zur gleichen Zeit im Ghetto von Lodz an den unmenschlichen und letztlich mörderischen Nazi-Verordnungen zugrunde. Ich hatte nur einen Gedanken: »Gebt mir, um des Himmels willen, meine verbotenen Eltern zurück!«

Ich zog mich oft zurück, wollte allein bleiben und nahm daher nur selten an den Ausgängen in die Stadt teil. Gerne hätte ich wie die anderen Mädchen kennengelernt, aber davor scheute ich mich. Alle Begegnungen, die die Neugier Fremder hätten wecken können, vermied ich. Aber der Zufall wollte es, daß mir Ernst Martins, der zweite Volksdeutsche aus der Ukraine, ein BDM-Mädel namens Leni Latsch vorstellte. Dieses hübsche Mädchen gefiel mir auf Anhieb. Sie erweckte Liebe und Lust in mir, die ich aber unterdrücken und beherrschen mußte. In Wahrheit brannte ich vor Begehren, wenn ich dieses warmherzige junge Mädchen traf. Leni hatte einen ausgesprochenen Sinn für Humor. Wir ergänzten uns ausgezeichnet. Sie war so fröhlich und lebendig, ich so ernst und einsam.

Wir befreundeten uns und sagten, was wir empfanden, nämlich daß wir uns liebten.

Ich hätte Leni nur zu gerne mein Geheimnis enthüllt, hütete mich aber vor jeder Unachtsamkeit. Diese seelische Spannung der verbotenen und deshalb nicht vollendeten Liebe machte mich immer sensibler, empfindsamer. Ich suchte einen Ausweg und schrieb Gedichte.

An einem trostlosen Abend, als ich mich allein in meinem abgeschlossenen Zimmer aufhielt, verfaßte ich einige sehnsüchtige, herzzerreißende Verse an meine Mutter. Ich hatte nie eine poetische Begabung, aber mir genügten die einfachsten Worte, um meinen übermächtigen Schmerz darzustellen. Ich war ein Junge, der sich nach seiner Mutter sehnte, die zu verlassen er gezwungen worden war. Und das durfte ich einer anderen Liebe gegenüber, Leni, nicht einmal erwähnen, ja ich durfte nicht einmal darauf anspielen. Leni gehorchte den Gesetzen und Zielen der Nazis. Ich fühlte mich zu ihr hingezogen, und sie sich zu mir, und dabei wußte sie weder, wer ich war, noch, in welch tragischer innerer Zerrissenheit ich lebte.

Als mein Gedicht fertig war, las ich es ihr, und nur ihr, während eines romantischen Spaziergangs auf den grünenden Wiesen außerhalb der Stadt vor. Selbstverständlich sagte ich ihr nicht den wahren Grund der Trennung von meiner Mutter. Wir setzten uns mit dem Rücken an eine dicht bewachsene Böschung. Vorsichtig zog ich mein Blatt Papier aus der Tasche und begann:

Mutter...

...Auch jetzt seh' ich Dich vor meinen Augen
So voller Mutterliebe und Herzenstreue
Drum sei gegrüßt aus weiter Ferne
Damit Dir das Schicksal viel Glück ins weitere
Leben streue
Mein Herz ruft ja so nach Dir,
Denn es hat Dich doch so gern,
Trotz der Ferne zwischen uns
Ist Dein Herz meines Herzens Kern!
Fühlst Du wie mein Herz so klopft, –
Und die Träne aus dem Auge tropft, –
Wie das Heimweh meine Seele frißt,
Nur weil Du bei mir nicht bist.
Hörst Du meine rufende Stimme –
Sie ruft nur – »Mutter, Mutter« –
Und läßt mir keine Ruh,
Merkst Du wie ich voll Sehnsucht zu Dir schwimme,
Denn mein einziger Traum bist nur noch Du.
Siehst Du wie ich des öfters weine,
Wie mein Herz aus Liebe nach Dir zergeht,
Furchtbar, daß gerade uns beide
Das Schicksal hat auseinandergeweht.
Und dieses möchte ich noch wissen,
Wann wir uns wiedersehn müssen,
Ob die Stunde des Glückes auch für uns mal
wieder schlägt,
Und das Schicksal mich zu Dir hinüberträgt!...
Ich könnte tausende Kilometer gehen,
Durch Wasser, Land, Berg und Tal,
Bei eisgem Frost und heißem Sonnenstrahl,
Nur um Dich für immer wiederzusehen!

»Ein sehr rührendes Gedicht«, sagte Leni. Sie schwieg eine Weile und strich mir dann über das Haar. »Ich sehe, daß sich auch ein Waisenkind nach der Mutter sehnt, obwohl es sie nie gesehen oder gekannt hat«, fügte sie hinzu. »Liebste Leni«, erwiderte ich, »der Mensch trägt seine Mutter stets in sich. Hat sie ihm nicht das Leben, und sogar den Befehl zum Leben gegeben?« Ich erinnerte mich an die Abschiedsworte meiner Mutter…

Leni erfuhr also nicht den Grund meiner Gefühlsaufwallung und hörte aus meinem Munde nichts über das Schicksal meiner Mutter. Anders ihre Mutter, eine sanfte, gutherzige Frau.

Als ich einmal meine Freundin besuchen wollte, öffnete mir Lenis Mutter die Tür und teilte mir mit, daß ihre Tochter nicht zu Hause sei. Ich wollte kehrtmachen und später wiederkommen, sie aber lud mich ein, ins Haus zu treten, da sie sich mit mir unterhalten wolle. Ich nahm an. Der Klang ihrer Stimme und ihr Gesichtsausdruck ließen mich spüren, daß dies keine harmlose Aufforderung war, sondern etwas Ernstes dahintersteckte. Sie deutete auf einen antiken Sessel, in dem ich fast versank. Sie setzte sich neben mich auf das Kanapee. Ihre Lippen umspielte ein flüchtiges Lächeln. Ich erwiderte es mit einem nervösen Lachen. Die Abenddämmerung machte die im Zimmer herrschende ungewisse Atmosphäre noch beklemmender. Wir schwiegen lange Minuten, dann fragte sie unvermittelt: »Sag' mal, Jupp, bist du wirklich ein Deutscher?« Bisher hatte ich bei solchen Überraschungsfragen stets genug Phantasie aufgebracht, um angemessen zu lügen. Doch wie geschah mir jetzt? Was war das? Ein rätselhaftes Gefühl des Vertrauens? Das plötzliche Bedürfnis, ein kostbares Geheimnis zu beichten, das mich verzehrte? Eine momentane Geistesverwirrung? Vertrauen auf meinen guten Stern, der mich auch diesmal nicht im Stich lassen würde? Ich kann es nicht erklären. In diesem entscheidenden Augenblick schien sich alles versammelt zu haben, um den Felsbrocken ins Wanken zu bringen, der sein Geheimnis nicht preisgab, und um mich dazu zu bewegen, mein Innerstes zu offenbaren. »Nein, Frau Latsch«, hörte ich mich flüstern, »ich bin kein Deutscher, ich bin Jude…«

Ich hatte ganz ohne inneren Kampf geantwortet. Doch kaum hatte ich das Wort ausgesprochen, war ich erschüttert über das, was ich getan hatte. Nur mein zitternder Körper, meine schlotternden Knie zeigten mir, daß ich lebte und atmete. Von meinen eigenen Worten völlig benommen, murmelte ich: »Bloß nicht zur Gestapo!«

Lenis Mutter stand auf, beugte sich über mich, küßte mich auf die Stirn, beruhigte mich und versprach, mein Geheimnis niemandem zu verraten. Ein einziger Augenblick menschlicher Schwäche, des Versagens meiner wundervollen Verteidigungs- und Überlebenstriebe hätte mich das Leben kosten können. Doch wieder einmal wurde ich auf wundersame Weise geschützt. Ich hatte das Gefühl, auf eine fremde Frau, eine Frau von Edelmut zu treffen, die mir Verständnis entgegenbrachte. Nach dem gerichtlich bestellten Vater nun eine Mutter für meine seelischen Nöte… Diese Situation drückte sich in kleinen Aufmerksamkeiten aus, in gestopften Socken, in einem Stück selbstgebackenem Kuchen. Dafür vertraute ich ihr rückhaltlos. Niemals befürchtete ich eine Denunziation von ihrer Seite. Im Gegenteil, sie beschwor mich, um des Himmels willen, mein Geheimnis ihrer Tochter Leni nicht zu enthüllen. Nicht einmal die eigene Mutter war sich Lenis in diesem Punkt sicher. »Die Kinder sind heutzutage so ganz anders«, lautete ihr einziger Kommentar. Als ich mich von dieser überraschenden und gefährlichen Offenbarung etwas erholt hatte, wagte ich, die unvermeidliche Frage zu stellen, woher ihr Interesse an meiner Abstammung rühre. Es stellte sich heraus, daß die lebenserfahrene, feinfühlige Frau verschiedenes merkwürdig gefunden hatte. Ich hatte mich nämlich zweimal gedankenlos in meinen kleinen Flunkereien verfangen, was meine Familie betraf. Das eine Mal hatte ich erzählt, ich sei allein auf der Welt, das andere Mal behauptete ich, meine Großeltern lebten in Ostpreußen. Ich entsann mich nicht mehr, warum ich dieses Detail erfunden und bei welcher Gelegenheit ich es angeführt hatte. Doch meine Antwort überstieg bei weitem ihr Vorstellungsvermögen. Sie ahnte zwar, daß ich nicht gut

Deutscher sein könne, daß ich aber Jude sei, wäre Ihr im Traum nicht eingefallen. Hätten sich alle wie Heinz Kelzenberg und Maria Latsch verhalten, wären Eichmann und Konsorten nur erbärmliche Randerscheinungen gewesen.

Diese Beichte hatte mich ungemein erleichtert. Ich fühlte mich weniger allein und verlassen. Leni gestand ich die Wahrheit erst nach dem Krieg. Sie reagierte mit dem ihr eigenen Humor: »Oh, da habe ich ja Rassenschande getrieben!«

Sie war tiefbewegt, als sie erfuhr, daß ich an meine Mutter im Ghetto von Lodz gedacht hatte, als ich ihr das Gedicht vorlas. Ich bemerkte auch, daß das ganze Lehrgebäude des BDM in ihr zusammenstürzte, als sie gewahr wurde, beträchtliche Zeit mit einem Juden verbracht zu haben, der sie achtete und der ihr näherstand als ihre Gesinnungsgenossen, mit denen sie befreundet war.

Während der ganzen Zeit in Braunschweig fühlte ich immer wieder den Drang, meiner nahen Heimatstadt Peine einen Besuch abzustatten. Ich hatte mich aber stets zu beherrschen gewußt, hatte keine unnötigen Gefahren auf mich nehmen wollen. Peine hatte ich erst vor sieben Jahren verlassen, jemand hätte Sally, den kleinen Juden, mühelos wiedererkennen können. Ungeachtet dessen packte mich eines Sonntagsmorgens im Sommer der Leichtsinn. Irgendein Teufel ritt mich, und ich fand mich am Bahnhof von Peine wieder. In meiner Kindheit war ich mit meinen Spielkameraden oft hierhergekommen, wir stellten uns damals meist auf die Holzbrücke, die die Gleise überspannte, und warteten auf den nächsten Zug, dessen Rauchschwaden uns einhüllten und voreinander verbargen. Auch jetzt stellte ich mich auf die Brücke, nun aber umgab mich nicht das fröhliche Gelächter meiner kleinen Freunde, sondern die trostlose Einsamkeit der Illegalität und Verfolgung.

Natürlich durfte mich niemand wiedererkennen. Ich wollte lediglich einen traurigen Blick auf die Stätten meiner glücklichen Kindheit werfen und mich eilends davonmachen. Ich wollte in die Erinnerung an mein Vaterhaus, den Kindergarten und die Schule eintauchen. Denn ich hatte ja jetzt weder ein Zuhause noch wahre Freunde. Wie ein Unschuldslamm war ich gegangen, wie ein vom Wolf gehetztes Schaf kehrte ich wieder. Doch dieses Schaf hatte seinen Pelz zu wenden gewußt. Es ähnelte den anderen wilden Tieren; dies war seine einzige Chance, den Henkern zu entkommen. Es sei denn, die Henker witterten etwas und kamen ihm auf die Schliche... Aber ich stellte fest, daß Salomon – entgegen ihrer Überzeugung – kein besonderer Geruch anhaftete...

Eine ganze Weile betrachtete ich die Landschaft von meiner Holzbrücke aus. Die Bretter schienen unter dem Tritt der genagelten Stiefel gelitten zu haben. Ich stand und dachte an die andere Brücke, die Brücke der Wahnideen, über die man mich in die Fremde gejagt hatte. Aber meine Brücke war endgültig hinter mir abgebrochen, oder würde sie eines Tages von neuem die Gleise für mich überspannen? Würde ich eines Tages als freier Mann, als Sally Perel, hier wieder stehen?

Ich strich meine schwarz-braune Uniform glatt, rückte meine schwarze Krawatte zurecht, schaute auf das Hakenkreuz auf meiner Armbinde und setzte mich langsam in Bewegung. Ich starrte in die Schaufenster, um keine neugierigen Blicke auf mich zu ziehen. Vor einer mir wohlbekannten Auslage blieb ich stehen, und Schmerz und Kummer überwältigten mich. Es gab einmal eine Zeit, vor der Sintflut, da hatte dieses Geschäft meinen Eltern gehört. Heute war es ein Photoladen. Auf den Borden standen keine Schuhe mehr, sondern Photographien von Wehrmachtssoldaten, die den Arm um Frau und Kind gelegt hatten. Vor der Eingangstür stiegen in mir wieder die glücklichen Kindermomente hoch, als ich übermütig und laut in das Ladeninnere stürmte und einen Groschen verlangte, um mir eine Tüte Eis zu kaufen. War der Laden voller Kundschaft, tadelte mein Vater mich. Ungeduldig wartete ich, bis er etwas Zeit fand. Sein Lächeln und das gewünschte Geldstück machten dann alles wieder gut.

Aber ich entsann mich auch eines betrüblichen Vorfalls. Mein Vater hatte mich eines Tages mit einer Geldsumme zu meiner Mutter geschickt, die mit diesem Betrag die für unsere Heizung notwendige Kohlenlieferung bezahlen wollte. Aber just an diesem Tag hatte Hans Meiners, mein bester Freund, Geburtstag. Folglich beschloß ich in meiner Naivität, ihm zum Zeichen meiner Anhänglichkeit ein Geschenk zu kaufen. Ich ging in das größte Spielwarengeschäft der Stadt, zu Kramm am Marktplatz. Für fünf Reichsmark erstand ich das Modell eines berühmten Schiffes. Die Verkäuferin wollte den achtjährigen Kunden zuerst nicht ernst nehmen und forderte mich auf, mit meiner Mutter wiederzukommen. Aber dickköpfig wie ich war, gelang es mir, sie zu überreden, und ich erhielt, was ich wollte. Stolz trug ich das schöne Geburtstagspräsent zu Hans und überreichte es ihm mit herzlichen Glückwünschen. Seine Mutter runzelte die Stirn. Sehr zufrieden mit mir hüpfte ich nach Hause und händigte meiner Mutter den Rest des Geldes aus. Ohne den Geschenkkauf zu erwähnen, ging ich, als wäre nichts gewesen, anderen Dingen nach.

Plötzlich stand Frau Meiners in der Wohnung und flüsterte, etwas peinlich berührt, mit meiner Mutter. Mir schwante nichts Gutes. Meine Mutter wandte sich mir mit strengem Gesicht zu und wollte wissen, ob das mit dem Geschenk stimme. Stotternd und rot angelaufen gab ich es zu. Mama zog sich an, und zu dritt begaben wir uns zu den Meiners, in deren Wohnzimmer das tolle Geburtstagsgeschenk stand. Ich mußte das Modellboot in das Spielwarengeschäft zurücktragen. Frau Spinzig empfing uns liebenswürdig. Ihr Kopfschütteln sollte wohl bedeuten: »Ich habe es ja gleich gewußt…« Beschämt stellte ich das Segelschiff, den Stein des Anstoßes, vorsichtig auf den Ladentisch und trennte mich niedergeschlagen davon. Ich täuschte mich aber, als ich glaubte, die leidige Angelegenheit habe damit ihr Bewenden. Als mein Vater nach Ladenschluß nach Hause kam und von meiner Missetat hörte, verabreichte er mir eine denkwürdige Tracht Prügel.

Die Erinnerungen schlugen über mir zusammen. Ich dachte an meine Eltern, ich dachte an Lodz. Dahin wollte ich.

Vor den Schaufenstern, die uns einst gehörten, verharrend,

fiel mir ein gewisser Abend des Jahres 1933 ein – in der Morgendämmerung des »Tausendjährigen Reiches« –. SA-Männer hatten in lange Farbschlieren ziehenden Buchstaben »Kauft nicht bei Juden!« auf die Scheiben geschmiert. Von da an blieb unser Geschäft für immer geschlossen. Nach und nach verlegten wir das Lager in unsere Privatwohnung. Bei Einbruch der Nacht stahlen sich treue und mutige Kunden zu uns, die Lederschuhe und Schnürsenkel auch jetzt noch von uns kaufen wollten. Nun waren sieben Jahre verstrichen. Jahre des Leids und des Unglücks. Und ich stand da, fassungslos und desorientiert, von der Vergangenheit träumend, enttäuscht von dieser Welt.

»Wach auf, komm zu dir, denk' an die Gegenwart!« mahnte eine innere Stimme. Ich wachte wieder auf. Die Geschäfte waren geschlossen. Die meisten Leute befanden sich im Sonntagsgottesdienst. Früher schlich ich mich gerne in die Kirche, um den von der Orgel gespielten und den Chören gesungenen Chorälen zu lauschen. Ich setzte meinen Weg fort und kam zum Marktplatz, wo Sonntagsstimmung herrschte. Spinzigs Geschäft quoll von Spielzeug über. Mein Schiff war nicht dabei. Als ich mich nach links wandte, meinem ehemaligen Schulhof zu, erfaßte mich Rührung. Tor und Klassenräume blieben auch Sonntags und an schulfreien Tagen geöffnet. Ich schaute mich suchend um, und da ich niemanden sah, gab ich meiner Lust nach und ging hinein. Der vertraute Geruch nach Bohnerwachs, der Anblick der Bänke mit den Tintenfässern stimmten mich wehmütig. Ich setzte mich auf meinen alten Platz. Hier hatte ich die unvergeßlichen, legendären Geschichten von Herrn Philipps, meinem Lehrer, gehört. Er hatte von wunderbaren Reisen auf verzauberten Sternen erzählt, und unter seiner Leitung hatten wir den ewigen Singsang des Alphabets skandiert.

In dieser Schulbank hatten aber auch eine ganz andere Melodie und eine ganz andere Reise begonnen: der Totentanz und die Flucht vor dem Todesengel. Eines Tages wurde ich mitten aus dem Unterricht heraus zum Direktor befohlen. In seinem Büro übergab er mir ein Schreiben an meine Eltern, sagte mir, ich solle meine Sachen packen und nach Hause gehen. Einfach so. »Nimm deine Mappe und verschwinde!« Schluchzend ging ich und verstand nicht warum.

Von da an brach der Sturm los. Nichts war mehr sicher, mein Leben nur noch das eines gehetzten Flüchtlings. Eine Zukunft gab es nicht mehr, sondern nurmehr eine Gegenwart voller Prüfungen und Erschütterungen. Ich wurde von der Schule verwiesen, und mein Leben hieß von da an Flucht.

In der kleinen Schulbank sitzend, versuchte ich, diese Vergangenheit zu vergessen. Ich war jetzt wieder das Kind von einst. Doch jene Zeit war unwiederbringlich dahin.

Ich stand auf, wollte einen Blick auf mein Geburtshaus Am Damm 1 werfen, in dem ich gelebt hatte. Ich war so aufgeregt, daß ich eigentlich nach Braunschweig hätte zurückfahren sollen. Von der Schule bis zu meinem Haus waren es nur ein paar Minuten. Ich kannte jeden Stein und jede Ecke in dieser Straße. Hier, genau hier, war ich eines Tages von einem Fahrrad angefahren worden. Aber ich war wieder aufgestanden wie ein Großer und hatte weitergespielt. Und hier, hier an dieser Hausmauer hatten wir immer Murmeln gespielt...

Gedankenvoll ging ich weiter und stand plötzlich auf der Straßenseite gegenüber meines Geburtshauses. Der Nachbar, Herr Nachtway, schaute aus dem Fenster. Beinahe hätte ich ihn gegrüßt. Doch ich drehte den Kopf weg, aus Angst wiedererkannt zu werden. Denn er kannte mich sehr gut, der Alte. Er hatte mich mehr als einmal auf den Knien gehalten und mir spannende Kindergeschichten erzählt. Und jetzt durfte ich ihm nicht einmal einen guten Tag entbieten.

An einem der Fenster meines ehemaligen Hauses tauchte das Gesicht einer jungen Frau auf. Sie konnte nicht ahnen, daß der, der da auf der anderen Seite stand, einst in denselben Zimmern glücklich gewesen war. Hier war ich auf die Welt gekommen, hier hatte ich gelacht und geweint, war ich krank und wieder gesund geworden. Nun war mir der Eintritt verwehrt. Das große, grünliche Haus der Meiners stieß an unser

Oben: *Der Autor
nach dem Krieg vor
seiner ehemaligen
Schule in Peine...*

Rechts: *...und vor
seinem Geburtshaus,
Am Damm 1, in
Peine.*

rotes Backsteinhaus und bildete mit ihm eine Straßenecke. Auch hier hinein durfte ich keinen Fuß setzen, obwohl ich damals die meiste Zeit mit den Kindern dieses Hauses verbracht hatte. In der rechten Gebäudehälfte befanden sich eine Bierstube und ein Versammlungssaal: der Luisenhof. Jetzt verkündete hier eine riesige Aufschrift: »Deutsche Arbeitsfront – Ortsgruppe Peine«. Der weitläufige Innenhof umfaßte früher einen Schweinestall, eine Scheune und ein Pissoir. Es erübrigt sich wohl, die Geruchsmischung zu beschreiben, die daraus entstand. Als ich noch hier wohnte, hatten mich die Trunkenbolde, die nach ihrem Bierkonsum urinieren gingen und dabei mit ihren unmelodischen Stimmen Gassenhauer grölten, immer erschreckt. Sie führten Selbstgespräche und beschimpften alles, was ihnen auf dem Weg in die Quere kam. Jedes Schlachtfest sah mich als interessierten Zuschauer. Ich war fasziniert von den quiekenden Schreien des Schweines und bewunderte die geschickten Hände, die die Tötung vollzogen. Dann war da noch die Scheune mit den Heuballen, in der wir mit Clara, Thea und Hans heimlich »Vater-Mutter-Kind« spielten.

Im großen Saal hielten die örtlichen kommunistischen und sozialdemokratischen Parteien bisweilen Versammlungen ab. Ich hörte mir dann die leidenschaftlichen Reden an, ohne natürlich zu begreifen, worum es ging. Verstanden hatte ich nur, daß nach dem Scheitern des gemeinsamen Bündnisses gegen den Nationalsozialismus ein Streit entbrannt war. Sie lagen sich in den Haaren, bis sich das bekannte Sprichwort bestätigte: Wenn zwei sich streiten, freut sich der Dritte. Meist gingen die Versammlungen unfriedlich zu Ende. SA-Männer, begleitet von Hitlerjungen, stürmten oft genug den Saal. Manchmal wurden auch die Dolche und Messer gezogen und etliche Teilnehmer verletzt. Einer der Saaldiener, der Metzgerlehrling Emil, einer der besten Freunde meines Bruders, wurde eines Tages bei solch einem Zusammenstoß totgeschlagen. Die Polizei griff erst sehr spät ein und verhaftete dann jene, die zu den Angegriffenen gehörten.

Von Anfang an hatte ich den Vorsatz gehabt, bei meinem Besuch in Peine die Bierhalle zu meiden. Das schien mir ein Selbstmord gleichkommender Leichtsinn zu sein. Ich erinnere mich nicht mehr, wie es kam, daß ich plötzlich an einem der kleinen viereckigen Tische saß. Eine unwiderstehliche Kraft hatte mich in die Kneipe gezogen.

Die Gäste schlürften schäumendes Bier aus riesigen Krügen. Dicker Qualm hing in der Luft. Am Stammtisch nahmen die Meiners' ihr Mittagessen ein. Mutter Meiners, noch immer so korpulent, hatte sich nicht verändert. Auch die Glatze ihres Ehemannes leuchtete wie ehedem. Aus den Töchtern waren anmutige junge Frauen geworden. Hans war nicht dabei. Ich vermutete, daß er bereits eingezogen worden war. Ein eisiger Schreck durchfuhr mich plötzlich, ich hätte sofort aufstehen und gehen müssen. Aber wie festgenagelt blieb ich sitzen, die Beine aus Blei. All meine Alarmmechanismen versagten, meine gewöhnlich so geschärften Sinne waren funktionsfähig. Wie hätte ich mich sonst in eine derartige Lage bringen können? Die Familie Meiners hatte früher liberale, politisch eher linke Anschauungen vertreten. Es war anzunehmen, daß sie ihren Überzeugungen treu geblieben war, aber konnte man wissen, in welchem Maß sie sich von der Nazipropaganda hatte beeinflussen lassen, wie so viele Leute? Diese verbotene Begegnung von Vergangenheit und Gegenwart konnte eine Katastrophe für mich heraufbeschwören. In Peine geboren, in Peine verloren? Ich bereute mein leichtsinniges Verhalten bitter; ich hatte dem Befehl meiner Mutter, um mein Leben zu kämpfen, zuwidergehandelt. Aber jetzt gab es kein Zurück mehr. Die erste, die den neuen Gast bemerkte, war Clara. Sie legte ihr Besteck nieder, wischte sich die Hände ab und erhob sich, um meine Bestellung aufzunehmen. Bang sah ich den Dingen entgegen. Doch die Würfel waren gefallen.

Mit dem geschäftsmäßig höflichen Lächeln einer Kellnerin näherte sich Clara meinem Tisch. Ich bot meine letzten Kraftreserven auf, um Ruhe zu bewahren. Ich wollte gelassen erscheinen, um keinen Argwohn zu erregen. Und vor allem wollte ich jeden Blickkontakt vermeiden. Was würde jetzt geschehen? Würde sie es wagen, mich zu fragen, ob ich Sally sei? Oder wäre sie so unsicher, daß sie lieber nichts sagte? Denn vor ihr saß ja ein tadelloser Hitlerjunge, ein Scharführer in all seinem Glanz. Auch wenn ich aussähe wie Sally, würde sie dies nicht für möglich halten. Daß ich Sally sein könnte, war völlig undenkbar.

Ich bestellte ein gemischtes Bier, halb dunkel, halb hell. In dieser Sekunde verlor ich zweifellos den Verstand. Ich hob den Kopf und sah ihr direkt in die Augen. Ihr Blick lag forschend auf mir. Eine Welle der Angst überflutete mich. Ich beschloß im selben Augenblick, jede Vermutung hartnäckig zu leugnen, sollte sie mich wiedererkennen. Doch ihr Blick glitt gleichgültig über mich hinweg, sie nahm meine Bestellung entgegen und ging ihrer Arbeit nach. Ihr war nicht einmal in den Sinn gekommen, eine Frage zu stellen. Angesichts ihrer Gleichgültigkeit legte sich meine Aufregung etwas. Ich spürte, daß sie sich natürlich verhielt und nicht versuchte, mich absichtlich links liegen zu lassen. Sie hatte mich einfach nicht wiedererkannt. Ich hatte auf der Stelle bezahlt und leerte nun meinen Krug in hastigen Zügen. Clara setzte sich wieder an ihren Tisch, und ich verdrückte mich unbemerkt. Auf dem Weg zum Bahnhof wandte ich kein einziges Mal den Kopf. Ich schritt eilig aus. Ich hatte das Gefühl, daß mich jemand verfolgte und mir jeden Moment den Weg versperren könnte. Ich stieg in den ersten Zug nach Braunschweig.

– Als ich Clara Meiners-Frieling kürzlich traf, erinnerte sie sich absolut nicht an meinen Besuch. Ihren Worten zufolge waren mehrere Hitlerjungen Stammgäste in ihrem Lokal, und sie entsann sich keines besonderen Ereignisses. –

Selbstverständlich erzählte ich Gerhard, meinem Zimmergenossen aus Peine, nichts von meinem heimlichen Besuch in unserer gemeinsamen Heimatstadt. Ich schwor mir, niemals mehr in die »verbotene« Stadt zurückzukehren, es sei denn als freier Mann in eine »freie« Stadt.

Aber ein heftiges unabweisliches Bedürfnis trieb mich

immerzu in die Nähe all dessen, was mich an zu Hause erinnerte. Die herzliche Beziehung zu Fräulein Köchy verschaffte mir manche Annehmlichkeit. Sie lud mich hin und wieder zu Konzerten oder Opern in das Stadttheater von Braunschweig ein. Diese Abende stellten für mich eine große kulturelle Bereicherung dar.

Denn eine Sehnsucht konnte ich nicht unterdrücken: die Sehnsucht nach einer familiären Geborgenheit, und sei sie auch noch so gering. Ich hatte meine Jugend im Waisenhaus, in Schützengräben, Bunkern und fremden Häusern verbracht. Ich gierte nach einer warmherzigen, liebevollen Atmosphäre, hätte so gerne wieder unsere Küchendüfte oder den Geruch des Schlafzimmers in der Nase gehabt... Ich beneidete meine Kameraden. Alle besaßen sie eine Familie. War ich zufällig bei einem Mitschüler zu Hause, warf ich neugierige Blicke um mich, erpicht darauf, alles in mich aufzusaugen, was das normale Familienleben ausmachte. Deshalb war ich überglücklich, als mich Fräulein Köchy einmal in ihre Wohnung einlud. Ich genoß die Behaglichkeit, die ich fast vergessen hatte und die ich so schmerzlich vermißte, in vollen Zügen. Es war ein bescheidener Trost. Aber ich stellte mir dabei meine Eltern vor, und mein Leid wurde etwas gemildert. Für meine Gastgeberin war es ein normaler Höflichkeitsbesuch. Nicht so für mich. Ich schaute oft bei Fräulein Köchy vorbei, und diese Abstecher prägten sich unauslöschlich in mein Gedächtnis ein.

Im Sommer 1943 organisierte die Familie Köchy einen Ferienaufenthalt für mich bei nahen Verwandten in Thale, einer kleinen Stadt im Harz, diesem Gebirge von seltener Schönheit. Dort hatte der Dichter und Denker Goethe, auf einem runden Felsen nahe einer kristallklaren Quelle und umgeben von lichtgrünen Bergen, seinen berühmten *Faust* verfaßt. Vom Gipfel des gegenüberliegenden Berges meinte ich deutlich den Hexentanzplatz zu erkennen, von wo um Schlag Mitternacht die Hexen zu ihrem teuflischen Ritt aufgebrochen sein sollen.

Ich unternahm jeden Tag einsame Spaziergänge in die Umgebung. Ich fühlte mich frei und glücklich. Auf Goethes Felsen sitzend, vom Geheimnisvollen umschwebt, hing ich meinen Träumen vom Elternhaus nach: Sehnsucht. Der Schmerz stach mich mit tausend Nadeln. Ich riß einige Seiten aus meinem Notizbuch und brachte ein persönliches, sehnsüchtiges Manifest, eine Beichte und eine Anklageschrift gegen die Welt und ihren Schöpfer zu Papier. Während ich mich noch mit der Formulierung meiner Gedanken herumschlug, kam ganz in der Nähe ein französisch sprechendes junges Paar herüber. Sie waren wohl Fremdarbeiter. Im dichten Gebüsch legten sie ihre Kleider ab und sprangen nackt in die Flußströmung. Die Berge warfen das Echo ihrer Freudenschreie zurück, als wollten sie sagen: »Man darf nicht verzweifeln! Die Zukunft gehört uns, gehört dir…«

Und hier und in diesem Moment verfaßte ich meine Bittschrift: »Ich, Salomon Sally Perel, der Jude, Sohn der Rebekka und des Israel, jüngerer Bruder Isaaks, Davids und Berthas, hinterlasse der Nachwelt diese Erklärung. Herr, mein Gott, der Du bist im Himmel, der Du die Welt und den Menschen erschaffen hast, wie kann ein unschuldiges Kind zur Einsamkeit und Qual einer solch grausamen Verfolgung verdammt werden? Ich habe die Kraft nicht mehr, sie zu ertragen. Ich bitte Dich, gib mir mein Haus, meinen Vater und meine Mutter zurück. Ich schließe ein Gebet an, damit der Tag, da wir wieder vereint und frei sind, bald kommen möge. Amen.« Ich faltete das Blatt sauber zusammen und steckte es feierlich und mit einem stummen Gebet in eine Blechbüchse, die ich gefunden hatte. Ich versenkte sie tief in eine Spalte des Felsens, auf dem ich gesessen und unter Tränen geschrieben hatte.

Ich spielte sehr gerne Schach und verbrachte meine freien Abende damit. Mein Partner war Otto Zagglauer, dem ich die Grundbegriffe dieses fesselnden Spiels beibrachte. Er wurde ein leidenschaftlicher Schachspieler und war glücklich, mein Stammpartner zu sein. Eines Tages, als wir in das Spiel versunken waren, fragte er mich plötzlich: »Wer hat dich so gut spielen gelehrt?« – »Frühere Freunde«, murmelte ich traurig und ließ mich von der Flut der Erinnerungen in eine andere Zeit und an einen anderen Ort versetzen. Ich konnte ihm nicht gut Auskunft über diese Freunde geben. Sie heißen Jerzyk Rappoport und Jakob Lublinski. In unserer Klasse in Lodz waren wir, Jakob, Jerzyk und Salek – der polnische Name für Sally –, das Freundestrio. Da war ich zwölf, dreizehn Jahre alt. Wir lernten zusammen, spielten und fühlten zusammen und entdeckten allmählich die Welt der Erwachsenen, trotz kleiner Meinungsverschiedenheiten, die jedoch nicht gravierend waren. Ich ging in den zionistischen Club Gordonia, während meine beiden Kameraden glühende Anhänger des *Bund* waren. Und der *Bund* war eine antizionistische, extrem linke jüdische Partei. Das hinderte mich nicht daran, hin und wieder ihren Club aufzusuchen, um dort jiddische Zeitungen zu lesen und Vorträge zu hören. Später trat auch ich dem *Bund* bei, und dort hatten mich meine beiden Freunde in die Geheimnisse des Schachspiels eingeweiht. Wir drei beugten uns stundenlang über das Schachbrett.

Als der Krieg ausbrach, lösten sich alle Bindungen auf. Jerzyk und Jakob blieben in Lodz, und ich zog mit meinem Bruder Isaak gen Osten. Nach dem Krieg erfuhr ich, daß Jerzyk seiner Weltanschauung treu geblieben war. Er leitete während des Krieges das Politbüro der Kommunistischen Partei im Ghetto von Lodz, und viele Menschen schöpften seines Mutes und seiner Aktionen wegen Kraft und Hoffnung. Sein kurzes Leben ging auf tragische und merkwürdige Weise zu Ende. Es war ihm gelungen, alles Leid des Krieges zu ertragen, und er hatte das Glück, von den Soldaten der Roten Armee befreit zu werden. Nach der Befreiung verliebte er sich in ein jüdisches Mädchen, das seine Liebe nicht erwiderte und einen anderen heiratete. Er war heftig entbrannt. Der Selbsterhaltungstrieb und die ungeheure Kraft, die ihn das Grauen der *Shoa* hatten ertragen lassen, ließen ihn jetzt im Stich, und er nahm sich nach dieser Enttäuschung das Leben.

Aber ich hatte die Freude, Jakob wiederzusehen. Als ich

noch im Waisenhaus in Grodno weilte, kündigte man uns eines Tages das Eintreffen eines Laienorchesters eines Minskers Gymnasiums an. Als das Orchester da war, entdeckte ich Jakob unter den Musikern.

Wir fielen uns bewegt in die Arme. Ich wich nicht mehr von seiner Seite bis zum Konzert und blieb auch später bei ihm, bis der Morgen graute. Wir erstickten fast vor Lachen und schmeckten unsere salzigen Tränen, Tränen der Freude und des Kummers, die sich im Geschmack nicht unterscheiden... Nach diesem ergreifenden Wiedersehen habe ich Jakob nie mehr getroffen.

Ich schwieg, schmerzlich berührt. All dies konnte ich Otto Zagglauer ja nicht erzählen. Aber ich fühlte mich großartig, wenn ich ihn ein um das andere Mal mattsetzen konnte. Zum Dank, daß ich sein Lehrmeister und Partner gewesen war, schenkte mir Otto ein kostbares Schachspiel, das er einmal nach den Ferien von zu Hause mitbrachte. Ich benütze es heute noch.

Eines Tages lud er mich zu einem Film ein, einer Komödie mit Heinz Rühmann. Die Filme der damaligen Zeit, im allgemeinen kitschige Melodramen mit glücklichen Menschen in sicherer Behaglichkeit, gingen stets gut aus. Das lief eigentlich meiner persönlichen Lage völlig zuwider, erschütterte meine seelische Verfassung und verstärkte meinen Kummer, anstatt ihn zu besänftigen. Dennoch ging ich oft ins Kino, um mich zu vergnügen und natürlich die Wochenschau zu sehen.

Auf dem Weg fiel unser Blick auf ein großes Plakat, das an einer Litfaßsäule klebte, darauf ein scheußlich aussehender Jude mit abstoßendem Gesicht, vorgewölbtem Bauch und mit Diamanten beladen. Darunter stand: »Der Jude ist Kriegsanstifter und Kriegsverlängerer«.

Davon aufgehetzt, wechselte Otto den Gesichtsausdruck. Er lief rot an und sein Kinn zitterte. Prahlerisch, irgendwie lächerlich wirkend, griff er entschlossen zu seinem Dolch »Blut und Ehre« und rief halb belustigt, halb ernst: »Ah, wenn jetzt einer dieser Juden hier wäre...!«

Ich wußte tatsächlich nicht, ob ich lachen oder protestieren sollte, und reagierte überhaupt nicht. Trotz der Wut, die in mir kochte, hatte ich mich im Griff. Ich verzog nur verächtlich die Lippen. »Komm, sonst ist es für den Film zu spät!« Ich zog ihn mit. Auch diesmal war es mir gelungen, ruhig Blut zu bewahren. Das Plakat ging mir nicht aus dem Kopf. Dessen Aussage war nicht harmlos, sondern die für die Nazis typische Propaganda, den Juden zum Sündenbock zu machen. Ihre Hoffnungen auf einen Blitzkrieg hatten sich nicht erfüllt, im Osten blieb die Armee in den Schlammsümpfen stecken. Zeichen der Unzufriedenheit machten sich bemerkbar, auch im Hinterland. Man registrierte mit Bitterkeit die Leiden und den Preis, den die unzähligen Opfer bezahlten. Der Reichspropagandaminister Joseph Goebbels wandte sich an die Deutschen und stellte ihnen die aufreizende Frage: »Wißt ihr, wer an dieser schrecklichen Lage schuld ist? Die Juden. Sie haben uns den Krieg aufgezwungen und haben ein Interesse daran, ihn zu verlängern, um sich an ihm zu bereichern.«

Mein Freund Otto konnte damals nicht ahnen, daß, außer Jupp-Salomon, binnen kurzem nicht mehr viele Juden in Europa übrig bleiben würden und daß es gerade seine Landsleute waren, die sich an den Diamanten, den Goldzähnen, den Knochen und Haaren dieser Juden bereichern würden – ich, der Jupp, ahnte es auch nicht, obwohl wir im Unterricht lernten, daß die Vernichtung der Juden eine Notwendigkeit sei, nicht jedoch wie und wann.

Der Film ließ mich dann doch meinen Schmerz und meinen Zorn über das Plakat etwas vergessen. Er war ganz unterhaltsam und lenkte mich vorübergehend von meinen inneren Spannungen ab.

Die Zuschauer bestanden hauptsächlich aus Frauen, denn die meisten Männer waren eingezogen worden. Im Hinterland verblieben einzig die Alten und Militärs auf Fronturlaub. Die »Fremdarbeiter« erkannte man an einem Abzeichen an ihren Kleidern.

– Otto sollte später in meinem Leben nochmals eine Rolle

spielen. Es mag eigenartig anmuten, aber ich gab noch einmal dem Jupp in mir nach und traf mich nach dem Krieg mit ihm. Das war 1947 in München. Ich wohnte bei meinem Bruder Isaak. Bei ihm trafen sich befreundete Juden, die im KZ überlebt hatten. Als ich denen erzählte, daß ich bei der Hitlerjugend war, hielten sie es wirklich für Phantasterei. Und wörtlich sagten sie sogar: »Du spinnst«. Ich hielt dagegen: »Ich kann es euch beweisen«. Denn mir fiel Otto aus München ein. Eigentlich kannte ich nur seinen Namen und sein Geburtsdatum, aber diese Auskünfte genügten dem Landeseinwohneramt, und ich erhielt seine Adresse. Ich konnte es kaum erwarten und benutzte Straßenbahn und Omnibus, um zu seiner Wohnung zu gelangen. Auf dem Klingelschild stand: »Familie Zagglauer«.

»Ja, mein Sohn ist zu Hause.« Es war seine Mutter, die mir die Tür öffnete.

Alles war noch so frisch und nahe. Ich hatte die veränderte Lage, die unschätzbare Kostbarkeit namens Freiheit noch nicht verarbeitet. Der Jupp in mir suchte den Kameraden. Sally ließ das kalt, war eher hochmütig und arrogant. Otto betrat den Raum, und wir standen uns gegenüber. Seine Freude war offensichtlich. Auch ich strahlte. Zunächst aber sprach nur noch Sally, getrieben von dem Gedanken, ihm die Neuigkeit zu verkünden, worauf ich so lange gewartet hatte: die Neuigkeit vom Triumph des Lebens. Wir begrüßten uns herzlich. Die Stunde der Wahrheit war gekommen. »Otto, hör jetzt zu! Ich will dir mein Geheimnis verraten. Ich war nie Deutscher, ich bin von Kopf bis Fuß Jude.« Peinliches Schweigen entstand. Otto wurde bleich und fragte, wie ich das alles fertiggebracht hätte. Er verdrängte seine anderen Gefühle und schien äußerlich völlig ruhig.

Ich erzählte ihm alles. Als ich geendet hatte, schaute er mich bestürzt an und sagte: »Ja, ich gebe es zu, man hat uns getäuscht. Das Drama ist, daß sich die Bevölkerung, allen voran die Jugend, von der Propaganda der Obrigkeit so leicht hinters Licht führen läßt und fest an die Aufrichtigkeit des eigenen Landes glaubt.« Seine Naivität machte mich stumm. Ich hatte kein Mitleid mit ihm. Wir saßen längere Zeit zusammen, schließlich gab es viel zu erzählen. Und dann lud ich ihn ein, mit mir zu meinem Bruder zu kommen. Er zögerte eine Weile – verständlicherweise, denn ich sagte ihm, auf welchen Kreis er dort treffen würde. Er stimmte trotzdem zu.

Am darauffolgenden Sonntag gingen wir zu Isaak und seiner Frau Mira. Sie hatte aus diesem Anlaß einen traditionellen Käsekuchen gebacken.

Eingeladen war derselbe Kreis, der zuvor noch an meiner Geschichte gezweifelt hatte. Otto und ich berichteten von unseren gemeinsamen Erlebnissen als Hitlerjungen und beseitigten damit die letzten Zweifel an der Wahrheit meiner Schilderungen. Umgekehrt wurde Otto hier endgültig bestätigt, daß ich ein Jude bin. –

In unserem HJ-Heim bekamen wir alle vierzehn Tage Ausgang. Meistens nutzten wir ihn, um in einer Bierstube Kartoffelpüree mit Gemüse zu essen – das einzige, was ohne Lebensmittelmarken möglich war – und ein Bier zu trinken.

An diesen Abenden schloß sich uns gewöhnlich ein hübsches BDM-Mädchen an, das viele Liebhaber hatte, auch aus unserer Gruppe.

Als es eines Tages hieß, daß einige von ihnen zu gewissen ärztlichen Untersuchungen vorgeladen worden seien, versetzte mir das einen gehörigen Schrecken. Sie sollte sich, so wurde gemunkelt, einen Tripper zugezogen und einige Jungen angesteckt haben.

Ein ungeheuerlicher Skandal! Unsere Hochburg der »Reinheit und Ehre« geriet in helle Aufregung. Ich hatte mich mit dem Mädel zwar nicht vergnügt, aber die Furcht, daß alle, mit denen sie sich getroffen hatte, vorgeladen werden könnten, fraß an mir. Auf keinen Fall durfte es dazu kommen, denn dann hätte es keine Chance mehr gegeben, mein Geschlecht zu verbergen. Meine Nerven waren bis zum Zerreißen angespannt. Doch allmählich flatterten die Vorladungen seltener ins Haus und hörten schließlich ganz auf. Mein Name befand sich nicht auf der Liste! Ich atmete auf. Die Tage bangen Wartens waren verstrichen, und der Alpdruck des nahen Endes wich von mir.

Es war im Dezember 1943. Die Weihnachtsferien standen vor der Tür. Eines abends saß ich im Lesesaal und suchte mir Unterlagen für ein Gespräch mit einer soeben bei uns eingetroffenen Gruppe von Vierzehnjährigen zusammen. Als Scharführer wurde mir die Verantwortung für die Gruppe übertragen. Ich sollte den Jungen etwas über die Herausbildung des Stolzes und die Bedeutung der deutschen Bauernschaft vortragen, die das Blut und die Rasse »rein erhielt«. Ich vertiefte mich mit dem angemessenen Ernst in die umfangreich vorhandene Literatur. Ich war seit jeher wißbegierig gewesen. Trotz der völlig unpassenden Rolle, die ich spielen mußte, erfüllte ich meine Aufgabe freudig und gab mein Bestes. Ich war als Jupp überzeugend. Die Jungen meiner Gruppe mochten mich und hatten Respekt vor mir. Der Nimbus eines »alten Veteranen«, der in einer Panzerdivision gekämpft hatte, umgab mich. Ihre Gehirne waren bereits unrettbar vernebelt und manipuliert. Ich kannte die Gedankengänge, ich wußte, welcher Wind hier wehte, daher fiel es mir leicht, Vorträge im nationalsozialistischen Geist zu verfassen.

Ich saß also an jenem Abend ruhig im Lesesaal und baute meinen Vortrag auf. Da hörte ich die halblaute Unterhaltung einiger am Nebentisch sitzender Kameraden. Ich verstand, daß sie bereits ihre Urlaubsscheine für Weihnachten und ihre Eisenbahnfahrkarten erhalten hatten. Sie schienen sich auf das baldige Wiedersehen mit ihren Familien zu freuen. Das »bei meinen Eltern« klang mir beständig in den Ohren und wurde immer lauter. Mich überlief es heiß. Meine trockenen Lippen formten lautlos: »Bei meinen Eltern… Bei meinen Eltern…« Ein Gefühl tiefer Einsamkeit nagte an mir. Unwirsch raffte ich die ganze vor mir liegende »Literatur« zusammen und stellte sie ärgerlich an ihren Platz zurück. Wie von der Tarantel gestochen, rannte ich in die Kanzlei zu Fräulein Köchy. Meine innere Stimme begehrte auf: »Jupp! Alle werden sie die Feiertage bei ihren Eltern verbringen, und nur du bleibst wieder allein, hast niemanden, der dir nahesteht.« Dagegen lehnte ich mich auf. Diesmal würde es nicht so sein. Auch ich, Sally, hatte Eltern! Daß man sie ins Ghetto gesperrt hatte, änderte nichts daran. Ich hatte ein Recht auf sie wie jedes Kind. Auch um den Preis meines Lebens? fragte ich mich. Ich befand mich in einem rauschhaften Zustand, und die Frage schien mir falsch gestellt. Ich wollte mir die Gefahr nicht eingestehen. Wellen tiefer Sehnsucht schlugen über mir zusammen, und ich ließ mich von den Fluten mitreißen.

Entschlossen, in das Ghetto von Lodz zu fahren, tauchte ich im Schulsekretariat auf. Fräulein Köchy war noch da. Sie hatte mit den Vorbereitungen der zahlreichen Reisen alle Hände voll zu tun, und als ich eintrat, beugte sie sich zusammen mit dem Personalobmann über einen Stapel Papiere. Man mußte die Weihnachtsurlauber nicht nur mit einem Urlaubsschein, sondern auch mit Lebensmittelkarten, Taschengeld und Hin- und Rückfahrkarten versehen.

Und da platzte ich herein und störte sie bei der Arbeit. Sie blickten auf, und ich brachte mein Anliegen vor: »Ich möchte in die Ferien fahren und Sie bitten, mir die notwendigen Reisedokumente auszustellen«, sagte ich mit fester Stimme. Überrascht starrten sie mich an. Nach kurzer Pause sagte der Obmann: »Ach! Und wohin, bitteschön, möchtest du reisen?« – »Nach Lodz!« – »Und, was führt dich nach Litzmannstadt?« Dieser nazistische Technokrat ließ nicht locker.

»Die Regelung einiger Angelegenheiten«, erklärte ich, etwas unsicher geworden. Seine Stimme hingegen nahm einen strengen Ton an: »Ich bin nicht willens, diesem Urlaub stattzugeben. Wir sind für das Wohlergehen und die Sicherheit des Schülers Perjell verantwortlich. Das hieße, sich unnötig in Gefahr zu begeben. Ich lade dich gern ein, mit mir und meiner Familie Heiligabend zu feiern.« Ich war enttäuscht und niedergeschlagen. Mein plötzlicher Entschluß ließ sich nicht verwirklichen. Fräulein Köchy merkte mir meine Enttäuschung wohl an, denn sie griff ein, »erklärte« mein rätselhaftes Reisebegehren. Sie machte den Obmann darauf aufmerksam, daß die Zeitungen kürzlich über die Besiedlung eroberter polnischer Gebiete berichtet hätten, daß man im Rahmen des vom Reich beschlossenen Germanisierungsplans Tausende von volksdeutschen Familien aus dem Osten dort ansässig gemacht habe. Unter diesen Siedlern könnten ja Leute aus Grodno sein, und er, Scharführer Josef, wolle bestimmt versuchen, Menschen aus seiner Heimatstadt zu finden, die ihm über etwaige Familienangehörige Auskunft geben könnten. Sie fügte hinzu, daß Josef sehr selbständig sei, Fronterfahrung habe und daß man sich auf ihn verlassen könne. Die harmlosen Vermutungen der liebenswürdigen Sekretärin rührten mich. Ich dankte ihr innerlich für ihr Wohlwollen. Sie wußte nicht, wie nahe ihre Worte der Wahrheit kamen! In der Tat hegte ich auch die Absicht, Landsleute oder Verwandte ausfindig zu machen, in erster Linie aber meine Eltern.

– Als ich 1985 nach Braunschweig reiste, wurde ich auch von Fräulein Köchy empfangen. Sie erinnerte sich sehr genau meiner damaligen Bitte und teilte mir etwas Erschreckendes mit, von dem ich keine Ahnung gehabt hatte. Mein Wunsch, nach Lodz zu fahren, hatte mehrere Personen im Internat höchst erstaunt und gefährliche Gerüchte über mich ausgelöst. –

Ich dankte dem Obmann für seine freundliche Einladung, die Weihnachtsfeiertage im Kreise seiner Familie zu verbringen, wiederholte jedoch meine Bitte, nach Lodz fahren zu dürfen. Die Sekretärin unterstützte mich, machte geltend, daß sie persönlich einer solchen Reise nicht ablehnend gegenüberstehe. Er ließ sich überzeugen und stimmte zu.

»Ich bin Ihnen sehr verbunden, vielen Dank«, sagte ich glücklich, »Heil Hitler!«

Von den Weihnachsferien trennten uns nur noch wenige Tage. Alle möglichen Fragen stürmten auf mich ein. Wohin würde mich dieses kühne Unternehmen führen? Ich wünschte nichts sehnlicher als die Verwirklichung dieses Traums, der einer so gewaltig anderen Realität angehörte. Es war dies ein menschliches Abenteuer, das das Gute und Böse, Glück und Vernichtung in sich trug. Was danach kam, existierte nicht.

Inzwischen traf ich meine Reisevorbereitungen und besorgte mir die vorschriftsmäßigen Papiere: einen offiziellen Urlaubsschein, den Mitgliedsausweis der Hitlerjugend, einen Führerschein, Lebensmittelkarten und – Taschengeld. Die Kleiderkammer schickte mir tadellos gebügelte braune Hemden. Meine Winteruniform reinigte ich selbst und bürstete sie sorgfältig aus. Jedem Abzeichen, jedem Rangabzeichen und jeder Auszeichnung widmete ich mich besonders. Mein ungewöhnliches Vorhaben, das mir der Regisseur meines Schicksals diktiert hatte, barg zahlreiche Risiken in sich. Ich hatte den Eindruck, daß jemand das Drehbuch geschrieben hatte und ich meine Rolle bis ins kleinste Detail überzeugend spielen mußte. Kein Fehler durfte mir unterlaufen, um mein Ziel zu erreichen. Ich hatte nicht nur lange Stunden im Zug zu verbringen, sondern fuhr in eine andere Welt, um mein Volk, meine im Ghetto lebenden Eltern wiederzufinden... Hier prallten zwei Welten aufeinander, die Monde voneinander entfernt lagen. Und ich stand dazwischen, stand in jeder von ihnen und damit in keiner...

Was mich erwartete, wußte ich, wollte es mir aber nicht eingestehen. Ich weigerte mich zu sehen, was geschehen könnte. Würde ich straucheln, ein Opfer einer unkontrollierbaren Versuchung, und untergehen? Mein Inneres war in Aufruhr, und dennoch meinte ich in aller Unschuld, meine Eltern wiederzusehen, mit ihnen meine Schulferien zu verbringen und danach wieder hierher zurückzukehren. So wie meine Kameraden. Was war erstaunlich daran, daß ich, der Hitlerjunge Salomon, das gleiche wollte?

Der nebulöse Traum, der verzweifelte Ruf eines einsamen Kindes, wurde an dem Tag Wirklichkeit, da ich mich von meinen Kameraden verabschiedete, die ebenfalls in die Ferien fuhren. Ich strengte mich an, mir nichts anmerken zu lassen. Ich dankte ihnen für ihre guten Wünsche zu den Feiertagen und für meine Reise und wünschte ihnen in der Hoffnung auf ein baldiges Wiedersehen alles Gute. Aber würde ich denn wiederkommen? Würden Sie mich wiedersehen? Ich wußte es nicht. Doch diese Fragen beschäftigten mich nicht eigentlich und durchkreuzten keineswegs meine Pläne.

In meiner mit Ehrenabzeichen geschmückten Uniform begab ich mich zum Bahnhof. Meine in mehreren Etappen verlaufende Reise würde schwierig werden. Ich mußte mich auf strenge Kontrollen der Gestapo und Kripo gefaßt machen. Diesen beiden Polizeiorganisationen war gemeinsam, daß sie das Recht hatten, wen auch immer ins Gefängnis zu werfen, zu foltern und zu ermorden. Obwohl die Gestapo ein politischer Geheimdienst und die Kripo für kriminelle Delikte zuständig war, bestand zwischen den beiden, was die »Liquidierung feindlicher Elemente«, also der Juden, betraf, kein Unterschied.

Selbst dieses Wissen konnte mich von meinem Vorhaben nicht abbringen. Ich fuhr mit der Straßenbahn zum Bahnhof und setzte mich dort gemütlich in ein Abteil.

Überall vermittelte sich vorweihnachtliche Stimmung. Der Stationsvorsteher gab das Signal, und der Zug setzte sich in Bewegung.

Ich vertiefte mich in die Zeitungen, die Artikel über die »strategische Wiederherstellung der Ostfront« brachten. In Wahrheit hatte man »Rückzug« zu lesen, den die offiziellen Stellen in einen Sieg ummünzten. Schon nach kurzer Fahrt beschlichen mich Zweifel. Ich sah von meiner Zeitung auf und betrachtete die vorbeifliegenden umgegrabenen Äcker. Eine innere Stimme meldete sich und flüsterte: »Komm zu dir, es hat doch keinen Sinn weiterzufahren. Kehr nach Braunschweig zurück. Du setzt dein Leben für etwas aufs Spiel, das du nicht verwirklichen kannst. Verlier den Überblick nicht, laß nicht alles fahren!« Ich steckte den Kopf aus dem Fenster, um meine düsteren Gedanken verfliegen zu lassen. Dann ließ ich mich wieder auf die Bank fallen, und biß, um meine Aufregung zu dämpfen, in ein mit Rauchfleisch belegtes Brot.

Mir gingen unablässig widersprüchliche Gedanken durch

den Kopf. Die Stimme der Reue wurde lauter, wandte sich an meinen Verstand. Der Zug dampfte weiter gen Osten.

Ich fühlte in mir die wütende Kraft von Wasserfluten, die sich am Riff brechen. Keine Macht der Welt hätte mich in diesem Augenblick zur Umkehr bewegen können.

Ich rutschte auf meinem Sitz hin und her. Meine Augen wanderten von den vorbeiziehenden Landschaften zu meinen Zeitungen, auf die ich mich nicht mehr konzentrieren konnte. Ich versuchte, etwas zu schlafen, aber meine Knie schlugen immer schneller aneinander. Das monotone Rattern des Zuges, die halblauten Unterhaltungen im Abteil und das unregelmäßige Schlagen der Abteiltüren mischten sich. Draußen pfiff die Luft am Zug vorbei. Plötzlich hörte ich von irgendwoher eine befehlende Stimme: »Halten Sie Ihre Papiere für die Kontrolle bereit!« Licht flammte auf und Jupp nahm Haltung an. Der aus dem nördlichen Niedersachsen stammende Josef Perjell war für die Kontrolle bereit. Die Schiebetür öffnete sich, und zwei streng blickende Männer erschienen im Rahmen. Sie trugen lange schwarze Wintermäntel und breitkrempige Hüte und wiesen sich als Polizisten aus. Die Papiere meiner Abteilnachbarn wurden genau geprüft und die Reisenden selbst mit hartem Blick fixiert. Einer von ihnen wurde nach dem Grund seiner Reise gefragt, ein anderer mußte seine Tasche öffnen. Dann kam ich an die Reihe. Ohne zu zögern, hielt ich ihnen meine Reisegenehmigung und meinen Mitgliedsausweis der Hitlerjugend hin. Ich versuchte, möglichst überzeugt zu wirken, wollte Verständnis für die notwendige Sicherheitskontrolle zum Ausdruck bringen. Die beiden erfahren wirkenden Beamten begnügten sich mit einem kurzen Blick auf mich, gaben mir meine Ausweise mit einem »Vielen Dank, Heil Hitler« zurück und schlossen die Abteiltür.

Ich atmete tief durch. Wieder hatte ich ein Hindernis überwunden. Die gefährlichen Minuten waren ohne Zwischenfall verstrichen. Sie hätten mich auch in ihren Gestapokeller mitnehmen können, wenn sie die erstklassige Beute entdeckt hätten, die ich darstellte. Man hätte ihnen auf die Schulter ge-

klopft und sie gewiß beglückwünscht, wenn sie einen als Hitlerjungen verkleideten Juden gefangen hätten…

Wir überfuhren die Grenze. Die Städtenamen und die Landschaften bewiesen, daß wir uns in Polen befanden. Wir näherten uns Lodz.

Spät in der Nacht traf ich auf dem Kaliszki-Bahnhof in
Lodz ein. Ich hatte von vornherein beschlossen, kein Hotel
aufzusuchen, um Risiken zu vermeiden. In Hotels mußte man
Meldezettel ausfüllen. Ich wollte dort nicht mit den polnischen
Empfangsportiers in Berührung kommen, denn wer konnte
besser als sie jüdische Gesichter erkennen, sie geradezu »riechen«? Ich zog es vor, auf Komfort und Gefahr gleichermaßen
zu verzichten und die Nacht lieber auf dem Bahnhof zu verbringen. Tag und Nacht wimmelte es hier so von Menschen,
daß es nicht auffiel, wenn man sich nachts auf einer der breiten
Holzbänke in den Ecken der Wartehallen ausstreckte.

Ich nahm mir vor, jede Nacht die Bank zu wechseln, um
nicht aufzufallen. Ich wollte keine Vorsichtsmaßnahme außer
acht lassen, um ja nicht den deutschen Geheimdienstbeamten
und den polnischen Spitzeln in die Hände zu fallen, die sich
hier ständig herumtrieben.

Immerhin war ich zur Hälfte untadelig, ich trug eine Uniform und hatte echte Papiere. Die zweite Hälfte aber drohte,
wegen des ungewöhnlichen Verhaltens Argwohn zu erregen.
Ich konnte mich nicht zweiteilen, und wie aus einem Guß zu
sein, war auch nicht möglich. Also mußte ich ein Ganzes,
aber ein aus zwei Hälften bestehendes Ganzes bleiben.

Ich gab meinen Koffer in die Gepäckaufbewahrung und
behielt nur die allernotwendigsten Sachen. Ich streifte durch
den Bahnhof, den ich seit der Zeit, da ich ein »großer Junge«
geworden war, gut kannte. Kaliszki war ein riesiger Eisen-
bahnknotenpunkt. Zahllose Reisende strömten ständig aus und
ein. Ich irrte in diesem Bahnhof umher und erinnerte mich an
vieles. Früher hatte ich Lodz des öfteren über diesen Bahnhof
verlassen, zu einer Zeit, da die Sonne für mich noch schien
weit vor dem Holocaust.

Einige Wochen, nachdem ich mit meiner Familie von Peine nach Lodz übergesiedelt war, hatte mich ein naher Verwandter väterlicherseits zu Ferien in einem der berühmtesten Kurorte in Polen, nach Ciechocinek eingeladen. Dort gefiel es mir. Gärten mit weißen und roten Blumen – den polnischen Nationalfarben, den Symbolen der Unschuld und der Liebe – überzogen die ganze Gegend. Ich verursachte meinem Verwandten allerdings zunächst erhebliche Unannehmlichkeiten, als ich mich auf der Hinfahrt ständig erbrach. Eine alte weise Frau half dem peinlichen Übel ab. Sie riet ihm, mich in Fahrtrichtung auf die Bank zu setzen.

Auf der gefahrvollen Reise, die ich jetzt hinter mich gebracht hatte, litt ich ebenfalls unter einem Brechreiz, aber aus anderen Gründen...

Ich entsann mich anderer aufregender Ferien. Am Ende des Schuljahres 1938 hatten meine Eltern mich nach Chelm und Zamosc zu Vettern meines Vaters geschickt. Als Schloimele, als kleiner Jecke, wurde ich herzlich aufgenommen. Meine Gastgeber besaßen Holzlager außerhalb der Stadt in dieser eigenartigen kargen Landschaft. Dort nahm ich an einer prächtigen jüdischen Hochzeit teil, der Hochzeit des Sohnes des Hauses. Mein Zimmer lag direkt neben dem des jungen Paares, und mein Bett stand direkt an der Wand zu diesem Zimmer. Nach der Feier, zu später Nachtstunde, wurde ich von ungewöhnlichen Geräuschen geweckt, die aus dem Nebenzimmer drangen. Auf Zehenspitzen eilte ich zur Tür und schaute durch das Schlüsselloch. Ich erkannte Schatten, die sich bewegten. Ich stellte mir alles mögliche vor, und als ich dann wieder in meinem warmen Bett lag, überließ ich mich wohligen Gedanken und Gefühlen. Es war das erste Mal, daß ich von diesem Teil der Liebe erfuhr. Das junge Paar hatte mich nicht bemerkt... Aber mein Besuch in Zamosc beschränkte sich nicht auf einen heimlichen Blick durch das Schlüsselloch. Es eröffnete sich mir eine jiddische Welt, die ich noch nicht gekannt hatte und die bald vernichtet werden sollte. Wir verlebten unbeschwerte Tage, und niemand ahnte, was bald in einer nahen Kleinstadt namens Treblinka geschehen würde. Heute bin ich tief betrübt und bestürzt über das tragische Schicksal der Hochzeitsgäste, über das Schicksal meiner Verwandten, des jungen Paares und ihres wahrscheinlich inzwischen geborenen Kindes. Wenn ich manchmal über Treblinka spreche, habe ich diese Familie wieder vor Augen. Mir bricht das Herz, wenn ich an diese geliebten Menschen denke, die niemals mehr wiederkehren werden.

Nach dem Ende des Schuljahres 1939, das ich mit einem hervorragenden Zeugnis auf der Grundschule Konstadt in Lodz abgeschlossen hatte, fuhr ich mit meinen Eltern in ein kleines polnisches Dorf in die Ferien, nach Kolumno. Der Gedanke, daß ich nach den Ferien auf das hebräische Gymnasium von Lodz kommen sollte, erfüllte mich mit Freude.

Doch es kam anders. Der Überfall der Deutschen Wehrmacht auf Polen bereitete den unbekümmerten Ferien in der schönen Umgebung von Kolumno und damit auch allen Schulplänen ein jähes Ende. Aus diesem Dorf konnten wir nicht mehr mit der Bahn nach Hause zurückkehren, weil die Gleise durch Bombenangriffe zerstört waren. Wir liehen uns einen Pferdekarren von einem polnischen Bauern. Damit schlugen wir uns nach Lodz durch. Vier Monate später schickten mich meine Eltern mit meinem Bruder auf die Flucht.

Und jetzt, in dieser Nacht, vier Jahre später, war ich zurückgekommen, zwar heimlich, aber mit gültigen Papieren, zwar frei, aber nur dem Anschein nach.

Die ganze Nacht quälten mich Erinnerungen. Ich konnte nicht schlafen und verbrachte die endlos scheinenden Stunden unter den vielen wartenden Reisenden. Die strenge Nachtkälte spürte ich nicht. Ich fieberte den Ereignissen am folgenden Morgen entgegen. Langsam zog er herauf. Einige Tassen Ersatzkaffee, der hier verkauft wurde, halfen mir, die lange Nacht zu überstehen. Im Morgengrauen glaubte ich, keine Nerven mehr zu haben, und meine Ungeduld wuchs ins Unendliche. Meine Eltern lebten unter demselben Himmel, in derselben Stadt, aber sie waren so fern von mir, als befanden sie sich auf einem anderen Planeten jenseits aller Grenzen, und das einzig und allein wegen des Wahns dieser Rassisten.

Bevor noch der Tag anbrach, streckte ich meine vor Müdigkeit steifen Glieder und begab mich zu den öffentlichen Toiletten, um mich zu waschen und meine Kleidung in Ordnung zu bringen. Ich überprüfte mein Äußeres, und als ich mit mir zufrieden war, machte ich mich auf den Weg zum Ghetto von Lodz. Salomon-Jupp stieg selbstbewußt die steinerne Bahnhofstreppe hinab und ging zur zentralen Straßenbahnhaltestelle. Ich suchte die Bahn, die mich an mein Ziel bringen sollte. Ich wußte, wo das Ghetto lag und wo meine Eltern wohnten. Das hatten sie mir auf einer der Postkarten geschrieben, die sie mir ins Waisenhaus nach Grodno geschickt hatten. An dem ersten Wagen hing ein Schild: »Nur für Deutsche.« Ohne zu zögern stieg ich ein. Ich war ja Reichsdeutscher. Es war mir bewußt, daß ich ein anderer und, zumindest dem Gefühl nach wieder derjenige sein würde, der ich wirklich war, sobald ich in die Gegend des Ghettos gelangte. Doch wer war ich wirklich? Ich weiß es nicht...

Das Signal zur Abfahrt, die elektrische Klingel, holte mich aus meinen Gedanken zurück. Es ging los. Neugierig suchte ich die mir bekannten Straßen wiederzuentdecken. Als wir uns über die Piotrkowskastraße dem Zentrum näherten, kamen mir die Gebäude immer vertrauter vor. Wir fuhren an der hiesigen Filiale der Firma »Gentleman« vorüber, aus der wir noch kurz vor ihrer Plünderung die zusammenfaltbaren Regenschirme gerettet hatten, mit denen wir, mein Bruder und ich, unsere Reise nach Osten hatten »finanzieren« können. Einst hatte es in dieser blühenden Stadt regen Handel gegeben. Arthur Rubinstein wurde hier geboren, Dzigan und Szumacher und andere jüdische Künstler hatten hier gewirkt.

Jetzt ähnelte sie einer Geisterstadt. Die Bewohner, die von den Besatzern gedemütigt und wie Abschaum behandelt wurden, schlichen durch die Straßen. Ein Teil der Geschäfte und Lokale bot seine Dienste ausschließlich Deutschen an. Auch ich fuhr in einem für Polen verbotenen Straßenbahnwagen...

Es fiel mir schwer, die niedere Gesinnung eines bestimmten Teils der polnischen Bevölkerung zu begreifen und zu akzeptieren. Antisemitische Faschisten und Stiefellecker warfen sich vor ihren aus dem Westen gekommenen neuen Herren in den Staub und boten ihnen ihre schandbare Mitarbeit an, anstatt sich ihren Landsleuten anzuschließen, die für die Freiheit der Menschen, für ein freies Polen kämpften.

Beinahe hätte ich meine Haltestelle verpaßt. Sie hieß früher einmal *Platz der Freiheit,* und der bestach durch die Schönheit seiner mit Statuen geschmückten öffentlichen Gebäude und die malerischen Balkone. Die Deutschen benannten Lodz in Litzmannstadt um und gaben auch diesem Platz einen anderen Namen. Von hier gingen mehrere Hauptstraßen ab, eine davon die Nowomaiskaallee, die zum Ghetto führte. Ich legte den Rest der Strecke zu Fuß zurück und gelangte zur Polnotznastraße, eine Ecke, die ich noch gut kannte. Mehrere Häuser waren abgerissen worden. So hatte man eine Art Grenzstreifen um das Ghetto gelegt, um Fluchtversuche zu erschweren. Vor dem Krieg hatte ich hier Verwandte besucht, die in der Nummer 6 wohnten. Jeden Sabbat nach dem traditionellen *Hamin*-Essen machten wir einen Spaziergang bis hierher und tranken bei unseren Verwandten Tee. Ich hatte den Geschmack des Mohnkuchens noch auf der Zunge…

Ich kletterte auf einen Trümmerhaufen. Von dort aus konnte ich zum ersten Mal in das Ghetto schauen. Ich erstarrte. Hinter dem hohen Palisadenzaun bewegten sich graue Gestalten. Sie gingen langsam und gebeugt.

Dieser furchtbare Anblick! Mir wurde schwarz vor Augen, mich würgte es. Die Tränen liefen mir herunter, auf den Lippen spürte ich ihren salzigen Geschmack. Einmal noch meine geliebten Eltern sehen, damit sich ihr Bild in mir einbrenne! Ich war ausgehungert nach dem Anblick der feinen Züge meiner Mutter, nach dem Anblick meines zärtlichen Vaters mit dem intelligenten Gesicht.

Ich wollte ihnen durch mein Erscheinen einen Funken Glück bringen, ihnen einen Lichtstrahl in die schreckliche

Finsternis ihres Lebens senden und wenigstens ein bißchen ihre Qualen mildern, die Sehnsucht nach ihrem Sohn. Wenn ihr Tod wirklich verfügt war, so sollten sie doch in dem Wissen, daß ihr Sohn Schloimele lebte, ihre letzte Ruhe finden.

Ich stand immer noch auf dem Trümmerhaufen und schaute, überwältigt von dieser tragischen, schmerzlichen Erkenntnis. Ich fühlte, wie sehr die aufgesetzte Gelassenheit von mir wich. Mir verschwamm alles. Ich wußte nicht mehr, was ich war und wer ich war, wen ich warum suchte... Ich stieg von dem Schuttberg herab und näherte mich dem Zaun. Meine Schritte schienen den Boden nicht mehr zu berühren, ich empfand eine völlige Leere um mich herum. Vor dem Zaun blieb ich stehen. Ich berührte den dicken verrosteten Stacheldraht. Wie durch einen Nebel bemerkte ich ein großes gelbes Schild, auf dem in riesigen Lettern stand: »Jüdisches Wohnviertel – verbotene Zone – Seuchengefahr.«

Vor meinen Augen bewegten sich die Juden des Ghettos wie in sich versunkene Schatten. Meine Brüder in Lumpen gehüllt, aschfahl! Unsäglicher Kummer lähmte mich. Solange schon, eine Ewigkeit hatte ich keinen Juden mehr gesehen... Außer den grotesken Karikaturen in meinem Klassenzimmer... Ich stand und schaute, wie hypnotisiert von ihrem schleppenden Gang; sie schienen verzweifelt die winzige Flamme Leben zu hüten, die noch glomm und die zu verglühen drohte.

In vier Tagen würden meine HJ-Kameraden die »Heilige Nacht« der Geburt Jesu feiern. Im Chor würden sie Weihnachtslieder singen, unter den funkelnden Sternen am Tannenbaum. Mein Herz fror, und nichts gab es, das es hätte trösten können. Plötzlich ging hinter der Absperrung eine Frau am Bordstein entlang. Sie hatte große Mühe, einen Fuß vor den anderen zu setzen und war in einen grauen, schwarz-gesäumten Wollschal gewickelt. Es war bitter kalt, und sie versuchte sich warmzuhalten. Ich hatte auf einmal das Gefühl, daß ich sie kannte. Sie sah meiner Mutter ähnlich. War sie es? Ich starrte sie unverwandt an. Meine Phantasie überzeugte mich, daß sie es ganz gewiß war. Großer Gott, ich war von so weit hergekommen, um meine Mutter zu sehen. Hatte sie einer deiner Engel zu mir geführt?

»Mama, Mama«, rief ich stumm, an meinem Zaun klebend. »Ich bin gekommen, um dir Dank zu sagen, Mama, um dir zu zeigen, daß das schreckliche Opfer, daß du gebracht hast, nicht vergeblich war. Wenn ich größer sein und auch ein Kind haben werde, kann ich vielleicht die Größe deines inneren Kampfes und den tiefen Schmerz ermessen, den du empfunden haben mußt, als du zu meinem Bruder sagtest: ›Isaak, mein Sohn, nimm den kleinen Sally mit dir und führe ihn dem Leben entgegen!‹ Ich wurde dir grausam entrissen und komme jetzt wieder zu dir zurück. Nur ein Zaun trennt uns. Ich sehe keine Kinder auf den Straßen… Und du in deiner Größe, du hast mich gerettet!«

Die Frau setzte ihren Weg fort, sie schaute nicht einmal in meine Richtung und bog um die Ecke. Ich stand da, wie in Trance. Ich wollte sie anrufen, tat es aber nicht. Ein Kontrollmechanismus in meinem Gehirn hinderte mich daran. Ich zerbarst innerlich. Fieber schüttelte mich. Den Zaun entlang lief ich in die Richtung, in der die Frau verschwunden war. Wie lange und wie weit, weiß ich nicht. Plötzlich stand ich am Eingang des Ghettos.

Das Tor, dessen Flügel aus dicken Holzbohlen bestanden, war offen. Ich schaute mich um, und mein Blick fiel auf das Schild der Franziskanskastraße. Wie nahe war ich meinen geliebten Eltern! Nur wenige Häuser trennten mich von der Verwirklichung meines sehnsüchtigen Traums. Zur Nummer 18 zog es mich mit jeder Faser meines Wesens. Am Anfang der Straße gingen einige Menschen, jeder von ihnen sah Vater oder Mutter gleich. Mir zerbrach es das Herz. Und jetzt konnte der Zensor, der Kontrolleur meines Lebens, nicht verhindern, daß ich wider mich selbst handelte. Ich trat durch das Ghettotor und ging näher. Ich stand jetzt eine Armlänge von ihnen entfernt. Ich fühlte mich seltsam gestärkt. Ich hatte den Eindruck, nach Hause gekommen zu sein. Ich begriff nichts mehr. Ich war so erschüttert und aufgeregt, daß ich beinahe die Beherrschung verlor. Da stand ich in meiner schwarzen Winteruniform bei gefangenen Juden, denen nahezukommen mir verboten war. Die Gefühle und Gedanken überstürzten sich in meinem Kopf. Mir fehlen die Worte, um zu schildern, was in diesen Minuten in mir vorging.

Plötzlich durchzuckte mich ein Gedanke: Wenn sich nun meine Mutter zufällig unter den Menschen befände, mich wiedererkennen und »Schloimele, mein Sohn!« rufen würde? Würde ich sie dann mit der ganzen mir verbleibenden Kraft umarmen? Nein, dachte ich sogleich, ich würde nicht antworten, ich würde so tun, als wäre sie mir fremd. Ein solch ungewöhnlicher Vorfall hätte unser beider Ende bedeuten können. Welcher Hitlerjunge hätte schon das Ghetto betreten, um eine »alte Jüdin« zu küssen? Ein schweres Vergehen, auf das der Tod stand. Wenn es so käme, überlegte ich weiter, würde ich meiner Mutter lediglich verstohlen zu verstehen geben, daß ich es tatsächlich sei. Wir würden uns in der Hoffnung auf ein neues Wiedersehen mit einem Blickwechsel begnügen. Aber könnten wir uns zurückhalten?

Diese Gedanken nahmen mich ganz in Anspruch. Plötzlich baute sich ein Mann in einem dunklen Mantel vor mir auf. Er trug eine Schirmmütze mit einem weißen Davidstern. An der Armbinde erkannte ich, daß ich einen jüdischen Ghetto-Polizisten vor mir hatte. Unsere Blicke trafen sich. Er strahlte Autorität aus, doch die Verblüffung war ihm anzumerken. Ich hatte das Gefühl einer eigenartigen Schicksalsgemeinschaft. Wir sahen einander wortlos an. Hinter mir hörte ich jemand in dialektgefärbtem Deutsch fragen, was ich denn hier wohl suche. Ein Wachposten, anscheinend ein Volksdeutscher, stand neben mir. In der deutschen Hierarchie, die strikt beachtet wurde, stand ich als Reichsdeutscher über ihm. Daher setzte er eine verbindliche Miene auf. Über meiner Hakenkreuzarmbinde waren die Worte »Bann 468 Nord-Niedersachsen, Braunschweig« eingestickt. Er registrierte die Stickerei, und ich brauchte mich nicht auszuweisen. Er teilte mir aber höflich mit, daß ich mich verlaufen hätte. »Hier wohnen die Juden, wußtest du das nicht?« Ich zuckte die Schultern. »Der Eintritt ist verboten. Du kannst dir hier alle möglichen Krankheiten holen, es gibt sogar Seuchen«, erklärte er. Seine Sorge um meine Gesundheit »rührte« mich, und ich dankte lächelnd für den Hinweis. Er solle sich aber nicht weiter beunruhigen, ich würde seinen Rat befolgen und mich entfernen. Ich kam wieder zu mir, ich hatte meine fünf Sinne wieder beisammen – Jupp war Herr der Lage. Ich erklärte ihm kaltblütig, daß ich mich auf der Durchreise befände. Er verstand das so, daß ich in das nicht-jüdische Viertel jenseits des Ghettos wollte und empfahl mir, die Straßenbahn zu nehmen, die durch das jüdische Viertel hindurchfuhr.

Ich befolgte seinen Rat. Die Möglichkeit, das Ghetto mit der Straßenbahn zu durchqueren, behagte mir. Ich ging vom Tor weg zur Haltestelle, die nicht weit vom Ghettoeingang entfernt lag. Wie immer, wenn man ungeduldig auf sie wartet, ließ sich die Bahn auch dieses Mal Zeit. Verwundert stellte ich fest, wie normal das Leben rings um das erbärmliche Ghetto verlief, in dem Hunderte von Frauen, Kindern und Männern an Hunger und Krankheiten starben. Auf keinem der Gesichter der Passanten bemerkte ich Irritation darüber oder irgendein Zeichen des Protestes. Ich war bestürzt über das erschütternde Desinteresse und die Gleichgültigkeit, die wenige Meter vor den Ghettomauern herrschten. Die Tatsache, daß man sich an das Grauen gewöhnt, erscheint mir noch heute als die erschreckendste Reaktion, deren die Menschheit fähig ist. Die Gespaltenheit der Welt, die ich damals erfuhr, hat mich unwiderruflich geprägt.

Die Straßenbahn kündigte sich durch lautes Rattern an. Wenig später fuhr sie in die Straße ein, sie schaukelte in der Kurve. Der Fahrer klingelte, die Räder kreischten, und die Bahn kam genau vor der Haltestelle zum Stillstand. Ich wandte mich dem Wagen zu, der den Deutschen vorbehalten war, während die Polen, die mit mir gewartet hatten, in den für sie bestimmten steigen mußten.

Ich zwängte mich nicht in das Wageninnere, um mich neben die anderen Passagiere zu setzen, ich blieb bei der Frontscheibe stehen. Ich wußte, daß ich bei der Einfahrt ins Ghetto die Fassung zu verlieren drohte, was die arischen Reisenden gewiß nicht verstehen würden, und wenn sie verstünden…

Der Fahrer, hinter den ich mich gestellt hatte, warf mir einen raschen Blick zu. Er schaute prüfend denjenigen an, der ihm in den Nacken blies, und kümmerte sich wieder um seine Bahn. Seine Uniform war sauber und mit den Abzeichen der Litzmannstadter Verkehrsbetriebe geschmückt.

Die schweren Torflügel schwangen zurück, die Bahn überfuhr die Ghettogrenze und hielt. Der jüdische Polizist, dem ich gerade noch gegenübergestanden hatte, näherte sich, ging um das Fahrzeug herum und verschloß mit einem Spezialschlüssel alle Türen. Eine Sicherheitsmaßnahme, die verhindern sollte, daß Juden aus dem Ghetto in die Straßenbahn drangen; jetzt konnte nur noch von innen geöffnet werden. Einem deutschen oder polnischen Fahrgast wäre es jedoch sowieso kaum eingefallen, einem Juden, der sein Leben retten wollte, die Türen zu öffnen.

Als der Polizist außen alles verriegelt hatte, setzte sich die Bahn langsam wieder in Bewegung. Sie bog in die Franziskanskastraße ein, und ich konnte nur mit Mühe dem Gefühlssturm Herr werden, der jetzt in mir tobte, Minuten äußerster Anspannung. Ich stand noch unter dem Eindruck des verheerenden Widerspruchs zwischen der bestürzenden Gleichgültigkeit da draußen und der Atmosphäre der Vernichtung und Ohnmacht die hier hinter der von einer bestialischen Herrschaft errichteten Mauer über allem lag. Mein Körper war wie gelähmt. Ich sah die Hausnummern kaum. Meine Augen irrten suchend voraus, um schon von weitem das Haus meiner Eltern zu erkennen. Und da! Da tauchte das Ziel meiner Reise vor mir auf! Da stand das Haus, in das zu kommen ich mir so sehnlich gewünscht hatte. Ich preßte mich gegen die Scheiben. Ich weiß nicht, wie das Glas dem Druck meines Körpers standhalten konnte… »Halt an, verdammte Straßenbahn! Bleib stehen! Laß mich noch eine Minute schauen!« Ich brannte darauf, meine Mutter zu sehen. Vielleicht waren ihre Gefühle noch nicht abgestumpft, und vielleicht trieb sie ja der mütterliche Instinkt, daß ihr Sohn in der Nähe war, ans Fenster.

Wir waren jetzt auf gleicher Höhe mit dem Haus Nummer 18. Hinter den dunklen Fenstern regte sich nichts. Das Wunder geschah nicht. Die Räder drehten sich weiter. Meiner Kehle entfuhr ein dumpfer Seufzer. Der Fahrer drehte den Kopf und sah mich seltsam an.

Ich starrte stur nach draußen, vielleicht käme ein Verwandter oder ein Freund des Weges. Wenigstens einen Blickkontakt mit einem Bekannten herstellen! Meine Augen wanderten vom Trottoir zur Straße, von den Passanten zu den Häuserfenstern. Die Menschen auf der Straße erschienen mir unwirklich. Erst nach dem Krieg erfuhr ich, daß sich zur Zeit meines Besuches im Ghetto die meisten Juden aus Lodz bereits in Auschwitz befanden. Die sich jetzt noch im Ghetto aufhielten, stammten aus der Umgebung und sahen ihrer baldigen Deportation entgegen.

Die deutschen Fahrgäste blickten nicht aus den Straßenbahnfenstern. Den lebenden Beweis menschlicher Greueltaten, die sich hier verewigten, wollten sie nicht wahrhaben. Ihre Gesichtszüge drückten völlige geistige Ruhe aus. Während ich sie betrachtete, ging mir auf, wie Gleichgültigkeit und Verbrechen in ihnen nebeneinanderher existierten. Wie war das möglich? Hegten sie denn alle, alle ohne Ausnahme die gleichen Gefühle? Schlug ihnen denn nicht das Gewissen? Heute würden sie antworten: »Unser Herz war von Trauer erfüllt über alles, was da geschah. Was aber hätten wir tun können?«

Die Geschwindigkeit wurde in einer Kurve gedrosselt. Und an der Biegung, auf gleicher Höhe mit dem Straßenbahnfenster, bot sich mir der deprimierendste, der erschütterndste Anblick, dem ich je ausgesetzt war. Vier Männer zogen und stießen einen rumpelnden Karren, der mit Leichen beladen war, die man mit einem Stoffetzen, wohl einem ehemals weißen

Laken, bedeckt hatte. Unter dem Leinentuch schauten die nackten ausgemergelten Glieder der Toten hervor. Die Körper waren in einer grotesken Vermengung durcheinandergeworfen worden. Dieses furchtbare Schauspiel zerriß mir das Herz. Der Karren fuhr in ein Schlagloch der schadhaften Straße. Arme und Beine baumelten, hoben sich, fielen zurück, hoben sich von neuem, fielen dann endgültig in ihre Ausgangslage zurück und wurden weiter über das Pflaster geschleppt.

So wurden sie zu ihren Gräbern gezogen. Ein schrecklicher Gedanke kam mir: Wenn sich meine geliebte Mutter unter diesen Leichen befände! Oder mein Vater!

Herr der Welt! Hast du eine Antwort, hast du eine Erklärung für das Geschehen an diesem Ort des Schreckens, an dem die Gemeinde deiner Gläubigen lebt?

Am liebsten hätte ich mich auf den Boden des Wagens geworfen und aufgebrüllt.

Doch die Straßenbahn setzte ihre Fahrt fort, und das Martyrium meiner Glaubensbrüder blieb hinter mir zurück. Mein Blick trübte sich, die Gegenstände verschwammen vor meinen Augen.

Wir erreichten den Ausgang des Ghettos, die Bahn hielt. Undeutlich sah ich einen anderen jüdischen Polizisten, der die verriegelten Türen wieder öffnete.

An der ersten Haltestelle nach dem Ghetto stieg ich aus. Ziellos irrte ich durch die Straßen. Ich hatte nirgendwohin zu gehen, keinen Menschen, an den ich mich hätte wenden können. Der Anblick des Ghettos und des grausigen Totenkarrens hatte mich verstört. Vier Jahre waren verstrichen, seitdem ich meine Eltern und mein Haus verlassen hatte, aber eine solch tiefe Verzweiflung, eine solche Hoffnungslosigkeit hatte ich bisher noch nicht empfunden. Gab es eine Macht, die meinen Traum verwirklichen, die mich in die Arme meiner Eltern führen könnte? Könnte diese Sehnsucht wahr werden, ohne daß ich für meine Unvorsichtigkeit bestraft würde? Ich war nicht gekommen, um zu sehen und zu sterben, sondern um meinen Eltern zu begegnen und weiterzuleben. Ich war nicht gekommen, um mich gefangenzugeben und den Nazis ihr verbrecherisches Handwerk zu erleichtern, nicht, um mich dem Henker auszuliefern, der mich, mit doppelter Freude natürlich, hingerichtet hätte. Meine Mutter hätte mir ein solches Opfer nicht verziehen; ich hatte die Pflicht, mich wieder unter die Henker zu mischen, um den letzten Willen meiner Mutter zu erfüllen: Du sollst leben!

Mir standen noch zehn Ferientage zu. Ich beschloß, sie darauf zu verwenden, jeden Tag mehrmals das Ghetto zu durchfahren, in der Hoffnung, daß mir Glück beschieden sei und meine Suche Erfolg hätte. Aber ich durfte die mit dem Plan verbundene Gefahr nicht außer Acht lassen, durfte die Zahl der Fahrten nicht übertreiben, um nicht den Argwohn eines Geheimbeamten oder anderer Neugieriger zu erregen. So hätte sich der Straßenbahnfahrer, offensichtlich ein Pole, etwa darüber wundern können, daß ein sich seltsam benehmender Hitlerjunge, der von der Tür nicht wegging, ständig im jüdischen Viertel hin- und herfuhr. Er hätte auf den Gedanken kommen können, dies der Gestapo zu melden, die sich ein Vergnügen daraus gemacht hätte, mich zu verhaften und Nachforschungen anzustellen.

Es versteht sich von selbst, daß ich in Anbetracht meiner höchst prekären Situation jedes Ding mit äußerster Vorsicht in Angriff nehmen mußte. Ich wußte nicht, wie oft die Bahn fuhr, aber seit ich ausgestiegen war, waren mehr als zwei Stunden vergangen. Ich überquerte den Damm und wartete auf die Straßenbahn, die zurückfuhr. Ich mischte mich unter die vor mir eingestiegenen Fahrgäste. Ich fühlte mich wie ein Wesen von einem fremden Stern, wie ein einsamer Vogel, der seine Fluggefährten verloren hatte. Wie war es nur möglich, daß ich den geliebten Menschen räumlich so nahe war und sie doch nicht sehen konnte? Konnte der Teufel mich derartig verhöhnen?

Vor Kälte und Ohnmacht zitternd setzte ich mich auf die Bank. Ich verlor das Gefühl für Zeit und Raum. Ich hatte die Straßenbahn nur erwartet, um einen zweiten Blick auf »mein

Haus« werfen zu können. Als sie gekommen war, war ich erneut in den Privilegiertenwagen gestiegen. Ich bemerkte denselben Fahrer, der mich wieder merkwürdig ansah. Nach dem Verriegelungsritual schlossen sich die Ghettotore wieder hinter uns. Ich hatte auch dieses Mal nicht das Glück, meine Eltern zu sehen.

Für meine späteren Fahrten bereitete ich einen Zettel vor, auf den ich in Polnisch schrieb: »An die Familie Perel, Ghetto Lodz, Franziskanskastraße 18. Salek lebt. Beobachtet die vorüberfahrenden Straßenbahnen!« Ich steckte das Blatt in die Tasche, um es bei der ersten Gelegenheit nach draußen fallenzulassen, hoffend, eine mitleidige Seele werde die Botschaft meinen Eltern übermitteln. Doch selbst diese Mitteilung erreichte ihre Empfänger nie. Das Papier blieb zusammengefaltet in meiner Tasche. Ich warf es nicht hinaus. Weder an diesem Tag noch an einem der folgenden. Schließlich zerriß ich es in kleine Fetzen. Das verzeihe ich mir noch heute nicht. Vielleicht fürchtete ich, der Brief könnte in falsche Hände geraten. Doch das ist kein Trost.

Auf diese Weise also verbrachte ich die nächsten Tage. Ich schlief sitzend auf einer an einem Tisch stehenden Bank im Bahnhof, machte auf den öffentlichen WC's Morgentoilette, frühstückte im Bahnhofsbuffet und fuhr zum Ghetto. Fast jedes Mal traf ich auf denselben schweigsamen Fahrer. Ich versuchte zwar, seine Aufmerksamkeit nicht auf mich zu ziehen, da ich aber in dieser Umgebung deplaziert wirkte, war mir bewußt, daß er jede meiner Fahrten registrierte.

Zwischen den Hin- und Rückfahrten hatte ich viel Zeit, die ich auf den mir vertrauten Straßen von Lodz verbrachte. Wie schon bei meinem wehmütigen Aufenthalt in Peine, hatte ich die Absicht, die Stätten meiner Kindheit aufzusuchen. Stundenlang marschierte ich jeden Tag durch diese große Stadt, ohne jemandem zu begegnen, mit dem ich ein herzliches oder liebenswürdiges Wort hätte wechseln können.

Ich hatte den Einfall, einen meiner ehemaligen Klassenlehrer zu besuchen, einen Herrn Klemezki – kein Jude natür-

Sally Perel vor einer Aufnahme des Ghettos in Lodz: »Mit dieser Straßenbahn fuhr ich 2- bis 3mal am Tage 12 Tage lang durchs Ghetto. Das Haus meiner Eltern ist das letzte auf der linken Seite.«

lich. Die Einsamkeit, unter der ich litt, und die Vergeßlichkeit bestärkten mich in dem Glauben, ich fände bei ihm Verständnis und Unterstützung. Dieser abenteuerlichen Idee lagen Unreife und Einfalt zugrunde, doch entsprang sie einem übervollen Herzen. Ich bedurfte so sehr des Trostes, egal von wem. Vor dem Krieg war ich in meiner Eigenschaft als Vorsitzender der Studentenliga für den Luftschutz, LOPP, bei der er aktiv mitwirkte, des öfteren bei ihm gewesen. Er wohnte in der Allee des 3. Mai, so benannt nach dem Feiertag der polnischen Verfassung. Mühelos fand ich das Gebäude und stieg in den zweiten Stock, bevor ich vor seiner Tür Halt machte. Durch ein schmales Fensterchen im Treppenhaus konnte ich in seine Küche sehen. Er saß mit seiner Frau beim Essen. Ich zauderte. Sollte ich klingeln? Plötzlich schrie eine innere Stimme:

»Halt! Tu es nicht! Geh, wie du gekommen bist!« Es schoß mir nämlich durch den Kopf, daß auch dieser Lehrer, dem ich früher vertraut hatte, mir heute gefährlich werden könnte. Unter einem militärischen Besatzungsregime passen sich viele an, und einige werden zu Denunzianten. Hinzu kam, daß bloß ein jüdisches Kind auf der Waagschale lag. Ernüchtert verließ ich rasch den Ort.

– Mehrere Jahre nach dem Krieg traf ich ehemalige Klassenkameraden aus Lodz. Ich erzählte ihnen von meiner damaligen Absicht, den Lehrer Klemezki aufzusuchen, um Trost bei ihm zu finden. Da erfuhr ich von ihnen, daß er sehr schnell ein begeisterter Kollaborateur der Nazis geworden war, und natürlich hätte er mich auf der Stelle verhaften lassen. –

Ich lenkte meine Schritte zur Zakontnastraße 17, wo wir bis zu der schmerzlichen Trennung und bis zur Vertreibung meiner restlichen Familie hinter die Ghettomauern gewohnt hatten. Während ich mich dem Haus näherte, stürmten Erinnerungen auf mich ein. Hier hatte ich meine ersten Verabredungen mit Mädchen gehabt. Jetzt schien alles fremd und kalt. Traurig schaute ich auf die Hausmauern und die wohlbekannten Pflastersteine, die stummen Zeugen all dessen, was ich hier erlebt hatte. Den Gruß des unverhofften Besuchers erwiderten sie nicht.

Ich war an der Tür meines Hauses angelangt, ein dreistökkiges Eckhaus. Ich trat ein. Im selben Augenblick erschien die vertraute Gestalt des Portiers im Türrahmen. Er hatte sich nicht verändert und trug noch immer seine alte Mütze. Ich hatte ihm einst geholfen, mit einem Wasserschlauch Trottoir und Hof zu reinigen. Wenn das Wasser sprudelte, drückte ich mit Lust auf das Gummiende, damit das Wasser nach allen Seiten spritzte. Den Bruchteil einer Sekunde dachte ich daran, mich zu erkennen zu geben und ihn in mein Geheimnis einzuweihen. Doch sogleich verwarf ich diese dumme Idee, blickte mich vorsichtig nach ihm um und ging selbstbewußt auf die Treppe zu. Im ersten Stock postierte ich mich vor unserer alten Wohnungstür. Von innen hörte ich lebhaftes

Stimmengewirr. Neben der Klingel stand ein fremder Name. Die *Mesusa,* die man abgenommen hatte, hatte ihre Spur auf dem rechten Türpfosten hinterlassen.

Welch teurer, vertrauter Ort! Wir waren eine glückliche Familie gewesen. Am Abend versammelten wir uns, und das Haus war erfüllt von Lärm und freudigem Treiben. Mein jüngerer Bruder David war der Witzbold unserer Familie, und wir erstickten fast vor Lachen, wenn er seine Späße trieb. Besonders bei Tisch spielte er uns gerne Streiche. War er der Meinung, Mama habe ihm nicht genügend Suppe aufgetan, steckte er den Finger in den Teller unserer Schwester Bertha, die natürlich darauf verzichtete, weiterzuessen. Mama schimpfte ein bißchen, mußte dann aber selbst mitlachen.

Isaak war am ernstesten und strengsten von uns. Tüchtigkeit und Ordnungsliebe waren seine Hauptcharakterzüge. Er überwachte sorgfältig meine schulischen Fortschritte und vergaß nie zu prüfen, ob ich alle meine Aufgaben gemachte hatte… Als wir noch in Peine und später dann in Lodz lebten, schickte er mich spazieren und verlangte danach einen detaillierten Bericht von mir über die Eindrücke, die ich auf der Straße gesammelt hatte.

Ich erinnerte mich an meine Schwester Bertha. Sie war ein wunderschönes junges Mädchen, ihr Gesicht und ihr Körper waren vollkommen. Sie brachte mir das Tanzen bei, und wir tanzten zu Radiomusik Slowfox und Tango. Später kamen dann andere Rhythmen. Wir hörten auch ausländische Sendungen im Radio. Jedes Mal, wenn die Lokalzeitung ankündigte, daß eine Rede Hitlers ausgestrahlt werden würde, herrschte bei uns zu Hause bange Spannung. Hitler wußte hervorragend, wie man die Leidenschaften und Gefühle der Bevölkerung aufpeitschte, was uns stets einen panischen Schrecken verursachte. In seinen Reden beglich er gewöhnlich seine Rechnungen mit der ganzen Welt. Theatralisch sagte er Entbehrung, Mangel und verheerende Zustände voraus, falls das deutsche Volk nicht erwache und gegen den Versailler Vertrag zu Felde ziehe. Ich habe noch heute sein Gebrüll im

Ohr: »Wenn es dem internationalen Finanzjudentum nochmals gelingen sollte, unser Volk in einen Weltkrieg zu ziehen, damit es noch mehr horten und profitieren kann, wird das die Ausrottung der jüdischen Rasse in Europa bedeuten.« Im Augenblick bemühte er sich um die Verwirklichung seiner Vorhersage. Selbst in den schlimmsten Alpträumen hätte ich mir nicht vorzustellen vermocht, daß ich eines Tages gezwungen sein würde, einen Eid auf ihn abzulegen und zu seiner Anhängerschar zu gehören.

Ich weiß nicht, wie lange ich so dastand.

Plötzlich hörte ich Schritte hinter der Tür, vor der ich stand. Fluchtartig verließ ich das Treppenhaus und verschwand auf der Straße. Auf dem Weg schaute ich in den Hinterhof von Aaron Goretski, wo wir Tischtennis gespielt hatten. Natürlich war keine Tischtennisplatte mehr vorhanden. Etwas in mir weigerte sich einfach, die Tatsache anzuerkennen und hinzunehmen, daß eine solche tief verwurzelte Welt im Handumdrehen hatte ausgelöscht werden können, ohne daß ein Überlebender, ein Zeuge unserer Existenz blieb. Ziellos irrte ich durch die Straßen.

Das Viertel, in dem die Zakontnastraße lag, zog mich magisch an. Ich ging jetzt in den freien Stunden zwischen den Fahrten ins Ghetto regelmäßig dort spazieren. Die schockierenden Bilder, die ich im Ghetto gesehen hatte, brannten noch in mir, und der Kontrast zum unbeschwerten Leben der anderen brach mir das Herz.

Gedankenversunken meinen Erinnerungen hingegeben wie ich war, hätte ich beinahe ein anmutiges junges Mädchen übersehen, das neben mir stehenblieb. Sie schaute erstaunt meine schwarze Uniform an, ein verführerisches Lächeln auf den Lippen. Ich hatte alles andere im Sinn als weltliche Freuden oder romantische Begegnungen, wandte mich ihr aber trotzdem zu und fragte sie nach dem Grund ihrer auffälligen Neugier: »Sind Sie wirklich Mitglied der Hitlerjugend im Reich?« fragte sie etwas schüchtern. »Ja, von Braunschweig, ich komme aus Nord-Niedersachsen«, antwortete ich mit deutlichem Stolz. Mein plötzlicher Hochmut und die Tatsache, daß ich mich vor diesem hübschen Mädchen in die Brust werfen konnte, machten mir etwas warm ums Herz und milderten meine Verlorenheit. Sie sprach Deutsch mit slawischem Akzent. Ich hatte offensichtlich eine Volksdeutsche vor mir. Ich freute mich darüber, daß sie mich angesprochen hatte und lud sie ein, mit mir spazierenzugehen. Sie nahm an, und wir gingen in der Richtung weiter, die ich zuvor eingeschlagen hatte. Ich hatte wohl das Richtige gesagt, meine Gesprächspartnerin schien beeindruckt; ich selbst wurde dadurch etwas von meinem wahren, schmerzerfüllten Ich abgelenkt.

Meine neue Freundin schaute mich unentwegt bewundernd an. Sie erzählte mir, sie stamme aus der Ukraine und sei im Zuge der deutschen Umsiedlungspolitik mit ihrer Familie in den Westen gekommen. Ihr Vater leiste irgendwo im Osten seinen Wehrdienst, und sie wohne mit ihrer Mutter und ihrer Schwester in einer neuen Wohnung, die man ihnen bei ihrer Ankunft kostenlos zugeteilt habe. Ihren Worten zufolge war sie noch nie im Reich gewesen, was aber ihr sehnlichster Wunsch zu sein schien. Zwar hatte sie schon Wehrmachtssoldaten getroffen, aber noch nie einen leibhaftigen Hitlerjungen wie mich.

Die jungen Volksdeutschen verehrten die Hitlerjugend und hofften, daß sich die Bewegung bald auch in Lodz gründen würde. Ihre Begeisterung war ehrlich, und es machte mir Spaß, mich mit ihr zu unterhalten. Es berührte mich eigenartig, daß das Schicksal ausgerechnet mich dazu ausersehen hatte, die junge Elite des *Führers* zu repräsentieren, zu der ich wider Willen gehörte. Um sie nicht zu enttäuschen und meine Rolle eines Vertreters des Reiches überzeugend zu spielen, heuchelte ich ebensogroße Begeisterung.

Ich freute mich, auf recht ungewöhnliche Weise eine junge Seele getroffen zu haben, und war froh über die sich anbahnende Beziehung. Dies war eine kleine farbenprächtige Oase inmitten der menschlichen Ödnis, die mich umgab, ein kleines Fest inmitten des Dramas, das sich in den letzten Tagen vor meinen Augen abgespielt hatte – und in gewisser Hinsicht die Verdrängung der schaurigen Eindrücke, die in mir jede Sensibilität und Hoffnung abzutöten drohten.

Wir setzten unser Gespräch fort, unterhielten uns fröhlich und mit einem Anflug von Flirt. Ich hatte ein Bedürfnis nach Freude, vielleicht weil mein Geist nach anderen Gefühlen lechzte, um das Grauen zu kompensieren, mit dem ich konfrontiert worden war. Die tragischen Ereignisse und der Anblick des Todes in diesen Ferien hatten meine Lebenslust nicht gedämpft. War dies nicht ungeheuerlich?

Bei Einbruch der Nacht verabschiedete ich mich von dem Mädchen und hastete in mein »Volkshotel«, die »Herberge zu den vier Himmelsrichtungen«, den Bahnhof Kaliszki. Wir hatten uns auf den folgenden Nachmittag verabredet, worüber ich mich freute.

Ich hatte weiterhin nicht das Glück, auch nur einen einzigen Blick auf meine Eltern werfen zu können. Jupp aber hatte Erfolg, fast strahlenden Erfolg, ganz im Gegensatz zu dem untröstlichen Sally, der im Leid ertrank.

Am nächsten Tag, nach der Durchquerung des Ghettos in der Straßenbahn, begab ich mich zum vereinbarten Treffpunkt. Das junge Mädchen war bereits da. Sie verhehlte nicht ihre Freude, mich wiederzusehen. Wieder machten wir einen langen Spaziergang bis zur Stadtgrenze. In einem günstigen Augenblick fanden sich unsere Hände. Ich fühlte, wie mein Blut schneller floß und ich wieder auflebte. Hände, die sich ineinander verschränken, können unterschiedlich gedeutet werden, sind Symbol für vieles. Diese sinnliche Berührung hat sich mir tief eingeprägt und ist unvergessen.

Wir setzten unsere Unterhaltung vom Vortag fort, die jugendliche Begeisterung läßt zwischen Fremden schnell eine herzliche Beziehung entstehen. Die Welle der Sympathie, die mir da entgegenflutete, rührte mich, obwohl es sich von vornherein um ein Mißverständnis handelte. Hatte sie nicht gelernt, den zu hassen, der ich in Wirklichkeit war? Und dennoch besänftigten ihre Gefühle meinen Kummer.

Auf dem Rückweg erwartete mich eine Überraschung. Das Mädchen überwand eine leichte Scheu, nahm all ihren Mut zusammen und lud mich ein, die morgige Sylvesternacht bei ihr zu Hause zu feiern. Zuerst antwortete ich ausweichend, mir war nicht nach feiern zumute. Ich strebte aber auch nicht nach Enthaltsamkeit. Folglich nahm ich ihre Einladung, die mir wirklich herzlich erschien, an. Ich fragte nach der Adresse. Und was soll ich sagen? Mein Erstaunen war grenzenlos, als ich sie erwidern hörte: »Ich wohne ganz in der Nähe der Stelle, wo ich dich angesprochen habe, in dem großen Eckhaus in der Zakontnastraße 17.« Allmächtiger! Machten die Provokationen des Lebens denn vor nichts halt? In das Haus meiner glücklichen, aber zerstörten Kindheit eingeladen zu werden! Dort zu essen und zu trinken und zu tanzen, wenn mich jede Fliese an Davids Lachen, Isaaks Liebe, Berthas Tangounterricht und vor allem an meine geliebten Eltern erinnerte?! Ich verheimlichte mir nicht, daß die Tatsache, daß ich feiern gehen wollte, dem gesunden Menschenverstand widersprach. Doch mein Wunsch, mich in einer Familie aufzuhalten und meine Bitterkeit etwas in den Hintergrund zu drängen, gaben den Ausschlag.

Mir war noch nicht mitgeteilt worden, in welchem Stock und in welcher Wohnung ich mit dem Neuen Jahr 1944 verabredet war. Die Vorstellung, es könnte sich um unsere beschlagnahmte Wohnung handeln, machte mich irre. Man stieß mich auf meine konkrete Vergangenheit, und ich hatte Furcht davor. Würde ich wie ein eingeladener, willkommener Fremder auf den Dielen meiner Erinnerungen umhergehen?

Ohne es zu wissen, diente das Mädchen als Brücke zwischen meiner Vergangenheit und mir. Sie ahnte nicht, welche Bedeutung ihre Einladung, der ich entgegenfieberte, für mich hatte. Ich hätte es mir nie verziehen, die Einladung zu dem Fest abgelehnt zu haben, sollte sie doch zu einer außergewöhnlichen Reise in die Vergangenheit werden, zu einer Feier und zu einer Trauerstunde.

Es würde eine Begegnung zwischen Jupp und Sally in all

ihrer Gegensätzlichkeit sein. Freude und Traurigkeit würden in dem Haus aufeinanderprallen, das mir nicht mehr gehörte.

»In welchem Stockwerk wohnst du?« fragte ich. »Im zweiten, rechte Tür, und vergiß nicht, zu kommen!« In meinem Kopf ging alles durcheinander, und ich verstand nur mit Mühe. Also würde der Empfang nicht in unserer Wohnung stattfinden, sondern in der Etage über uns. Ich war enttäuscht. Ich könnte unsere Wände nicht berühren, die noch die Küchendüfte meiner Mutter ausströmten. Dagegen war ich in die Wohnung unserer jüdischen Nachbarn eingeladen worden, deren Sohn mit mir in die Klasse gegangen war. Wir hatten zusammen Schulaufgaben gemacht. Jetzt befanden sie sich im Ghetto oder in Auschwitz, und ich war bereit, bei ihnen zu Hause zu feiern, unter Leuten, die vor kurzem von ihren Mördern in ihre Wohnung gesetzt worden waren.

Die Wahrheit schwoll an und wollte explodieren.

Ich versuchte, Fassung zu bewahren und das Mädchen als ahnungslose Partnerin in diesem dramatischen, verwirrenden Spiel zu betrachten.

Als ich am nächsten Tag durch die Straßen schlenderte, begegnete ich einer Menge Passanten, die eilig die letzten Vorbereitungen zu diesem wichtigen Fest trafen. Ich schaute sie unverhohlen an, als wollte ich ihnen sagen: »Heute bin auch ich mit von der Partie. Heute abend werde ich nicht zusammengekauert auf diesem verfluchten Bahnhof sitzen.« Der stumme Dialog mit diesen Leuten ließ mich meine Verlassenheit nicht ganz so heftig empfinden. Ich war in den letzten Jahren eigensinnig geworden, und man konnte mir nicht so leicht die Laune verderben.

Abends begab ich mich, wie aus dem Ei gepellt, zu dem Empfang. Ich wollte nicht wissen, wer die anderen Gäste waren, ich vermutete, daß es sich um Verwandte oder Bekannte handelte. Einer von ihnen war ein Wehrmachtssoldat, dessen Einheit in der Umgebung stationiert war. Wir waren die beiden einzigen waschechten Deutschen und als solche Ehrengäste. Ich strotzte vor Selbstbewußtsein und Stolz.

Der Soldat und ich sprachen dieselbe Sprache. Ich verbarg, daß ich selbst ein alter Fronthase und letztlich ein »eingemeindeter« Volksdeutscher war. Ihm galt ich als richtiger Deutscher, der aus Braunschweig stammte, und ein solcher wollte ich in seinen Augen auch sein, jetzt und später. Er stieß saftige Verwünschungen gegen die Russen aus, beklagte sich über ihre Barbarei, weil sie Dumdum-Geschosse verwendeten und so die Genfer Konvention brächen. Diese Geschosse drangen in den Körper ein, explodierten im Körperinneren und verursachten furchtbare Verletzungen. Er war am Schenkel getroffen worden und erst nach Monaten wieder genesen. Deshalb befand er sich augenblicklich im Hinterland in einer Flak-Einheit.

Trotz der sonst herrschenden Knappheit quoll das Buffet von Lebensmitteln über. Es wurde reichlich Alkohol, selbstgebrannter Schnaps und Landwein, und eine ganze Anzahl von Gerichten serviert. Als Mitternacht näherrückte, stieg die Stimmung. Meine Gastgeber besaßen ein altes Grammophon und Platten.

Ich forderte meine Gastgeberin zum Tanzen auf. Alles sang, tanzte, lachte Tränen. Auch ich. Doch ich weinte Tränen der Trauer. Meine Bertha hatte mir den Tango beigebracht, den ich jetzt tanzte. Ich schloß die Augen, drückte meine Partnerin an mich und überließ mich der Flut der Erinnerungen. Sie deutete diese Hingabe als Zuneigung, während ich mich in den Schlingen quälender Erinnerungen verfing. Dank dieses liebenswerten Mädchens konnte sich mein wahres Ich ablösen und in die verbotene Vergangenheit gleiten, während meine Fassade die angenehmen Gefühle und den Flirt genoß.

Der Tanz meiner Träume in meiner alten Welt wurde plötzlich unterbrochen. Bis zu dem mit soviel Spannung erwarteten mitternächtlichen Glockenschlag waren es nur noch wenige Minuten. Wir faßten einander unter und drehten feierlich und jubelnd eine Ehrenrunde für *Führer* und Sieg. Ich auch. Doch meine Wünsche richteten sich nicht auf denselben Sieg. Ein Glück, daß Gedanken und Gefühle unsichtbar sind. Ich behielt

Der Autor bei einem Nachkriegsbesuch auf dem Gelände des ehemaligen Ghettos in Lodz.

meine Stoßgebete für mich. Die Veranstaltung konnte weitergehen.

Wie hätte ich ahnen können, daß mich das Geschick auf diese Weise nochmals in mein Haus führen würde, vier Jahre, nachdem ich es verlassen hatte, um in ihm einen Freuden- und Tränenreigen zu tanzen! Ich »amüsierte« mich in der Wohnung meiner Freunde und Nachbarn, während sie sich im Ghetto befanden! Die Möbel, die dageblieben waren, schauten mich stumm an.

Meine Zeit in Lodz ging langsam zu Ende. Mit äußerst widersprüchlichen Gefühlen verließ ich diesen schicksalhaften Ort. Ich wußte, ich hatte den Forderungen der Gegenwart zu gehorchen und mein Dasein wie bisher weiterzuführen.

Die Fahrten, die ich noch durch das Ghetto unternahm,

brachten nur neue Enttäuschungen. Ich verlor alle Hoffnung, ich war untröstlich. Jupps Freundin sah ich noch ein- oder zweimal, dann nahmen wir Abschied. Ich sagte innerlich auch dem seltsamen Straßenbahnfahrer Adieu, mit dem ich kein einziges Wort gewechselt hatte, ich ließ ihn sich über meine nervösen Hin- und Rückfahrten weiter wundern.

– In Israel saß unlängst bei einem Treffen von Juden aus dem Ghetto in Lodz ein rüstiger, bemerkenswert vitaler Greis. Im Laufe der Unterhaltung erzählte er mir, daß er gewöhnlich in Schweden wohne, jedoch zweimal im Jahr nach Israel in sein Haus nach Savyon fahre. Er hieß Binem Koppelmann. Wir kamen auf die *Shoa* zu sprechen. Der Mann fing an, von seinen Wanderungen zu erzählen, angefangen vom Ghetto in Lodz bis zu seiner Ankunft in Auschwitz, wohin er mit den letzten Transporten gekommen war. Er sprach ununterbrochen, sprach leidenschaftlich und beachtete meine Fragen nicht. Es gelang mir nicht, ihn zu unterbrechen. Mich hatte sein Beruf stutzig gemacht. Er sei nämlich Straßenbahnfahrer gewesen, sagte er. »Aber wie war es möglich«, fragte ich jetzt dazwischen, »wie war es möglich, daß sich ein Jude außerhalb des Ghettos bewegen durfte?« Seinen Worten nach war er der einzige gewesen, der dieses Vorrecht genoß. In seiner Jugend hatte er im Elektrogerätewerk AEG in Berlin gearbeitet, und als er auf die Qualifikation verwies, die er dort erworben hatte, hatten ihm die deutschen Behörden eine Sondererlaubnis zur Führung der Straßenbahn ausgestellt.

Ich nutzte eine Pause in seinem Redeschwall und flocht ein, daß auch ich das Ghetto in der Straßenbahn durchfahren, mich aber damals unter einer Uniform der Hitlerjugend verborgen hätte. Der Mann erschrak und verstummte. Er runzelte erstaunt die Stirn. Ich spürte, wie seine Gedanken zurückgingen, und er in seinem Gedächtnis kramte. Er schaute mich lange an und murmelte dann zögernd: »Sie waren das also? Waren Sie der Hitlerjunge, der jeden Tag hinter mir in der Bahn stand? Ja, ich war der Fahrer. Ich hatte Angst vor Ihnen und wagte nicht, nach einer Erklärung zu fragen. Es war mir seltsam und ungewöhnlich vorgekommen. Aber nie hätte ich gedacht, daß Sie Jude seien.« – »Und ich«, antwortete ich, »ich dachte, daß Sie Pole seien, ein mißtrauischer Pole, der mir auf die Schliche kommen wollte.«

Während uns beiden die Schweißperlen über das Gesicht rannen, erzählte ich ihm meine Geschichte. –

Tatsache ist, daß ich nach diesen zehn Ferientagen enttäuscht die Heimfahrt in meine Schule antrat. Diesmal las ich keine Zeitung. Ich setzte mich verwirrt irgendwohin. Ich war erschüttert, ich wußte nicht mehr, zu welcher Gruppe ich gehörte, ich wußte nicht mehr, wo ich mich aufgehalten hatte und was mich nun erwartete, ich wußte nicht mehr, wo mein Zuhause war, wo mein Vaterland, und wer ich wirklich war. Alle Möglichkeiten flossen ineinander, meine Gedanken gingen in die Irre.

– Vor nicht allzulanger Zeit fragte mich eine Gymnasiastin, warum ich nicht versucht hätte, mich in das Ghetto einzuschleichen und das Schicksal meiner Eltern zu teilen. Ich habe geantwortet, daß man nicht vorhersehen könne, wo das Todeskarussell, das sich unablässig über unseren Köpfen drehe, anhalten werde. Ein innerer Mechanismus habe über meinen Weg entschieden. Ich hätte gefühlt, daß ich seinen Befehlen gehorchen mußte. –

Bei meiner Rückkehr sah ich, daß sich nichts geändert hatte. Der Himmel war nicht herabgefallen, und das Leben ging seinen Gang. Der Krieg trat in sein fünftes Jahr, und alle glaubten felsenfest an den Endsieg.

Es gab ein fröhliches Wiedersehen mit meinen Kameraden, die beeindruckende Geschichten zu erzählen hatten. Ich steuerte das Meine bei, soweit mir dies möglich war. Ich umging alle peinlichen Fragen. Diesmal mußte ich mich sehr anstrengen, um fiktive Abenteuer zu erfinden. Der Abgrund, der die Realität von der Phantasiewelt trennte, war zu tief...

Die strenge Schuldisziplin und die gewohnte Umgebung taten ihre Wirkung, und ich war bald wieder bei der Sache.

Im Unterricht wurde uns weiterhin die ruhmvolle Verän-

derung der Welt gepriesen, die wir im Begriff waren, herbei-
zuführen. Selbst die Errichtung eines Denkmals mit einer Tafel, auf der die ersten, an der Front gefallenen ehemaligen
Internatsschüler geehrt wurden, konnte diese Geisteshaltung
nicht beeinflussen. Daß Mussolini von seinen Gegnern ge-
stürzt worden war und Italien nicht länger mehr Verbündeter
sein wollte, ließ sie kalt. Man erklärte uns, daß man sich eines
Verbündeten entledigt habe, der seit jeher ein unsicherer Kan-
tonist gewesen sei. Wir hatten den Eindruck, daß wir auch
alleine »durch das Schwert den Sieg erringen« könnten…
Auch das Attentat auf Hitler vermochte ihren glühenden Eifer
und ihre Glaubensgewißheit nicht zu erschüttern.

Wenige Tage später erschienen auf den Kinoleinwänden in
ganz Deutschland Bilder des verletzten Hitler, der von seinen
Getreuen umgeben war, von Männern, die bereit waren, seinen
wahnsinnigen Weg auch jetzt noch mitzugehen. Der Todesengel wütete weiter, und Millionen anderer Menschen wurden
der Vernichtung preisgegeben.

Wir wurden zu einer Versammlung zusammengetrommelt.
Man wollte uns über die Ereignisse aufklären. Der Bannführer
empörte sich über diese Verräterbande, die ihrer gerechten
Strafe nicht entgehen werde. Er schärfte uns ein, fest zum
Nationalsozialismus zu stehen, und wir schworen es mit er-
hobenem Arm und sangen die Nazihymne. Man zeigte uns
auch Auszüge aus einem Film, der bei der Verhandlung im
Volksgerichtshof gedreht worden war. Wir sahen die Ver-
schwörer, sahen, wie sie aus der Fassung gebracht und verurteilt wurden. Ich erinnere mich einer Sequenz, in der der
Generaloberst von Witzleben, vor seinen Richtern stehend,
seine Hose mit der Hand festhalten mußte, weil man ihm den
Gürtel abgenommen hatte, und sie ihm herunterrutschte und
seine Unterhose entblößte, als ihm der Vorsitzende den Befehl
zum Strammstehen erteilt hatte. Das Saalpublikum fand dies
lustig und brach in Lachen aus.

Einige Angeklagte wurden an Fleischerhaken aufgehängt
– wie Schweine nach dem Schlachten.

Das Leben nahm wieder seinen gewohnten Rhythmus an. Eines Tages, Ende Juli 1944, wurde ich in das Verwaltungsgebäude der HJ-Schule beordert. Dort teilte man mir mit, daß die Aufforderung für mich eingetroffen sei, die besagte, daß ich mir in einer bestimmten Dienststelle des Braunschweiger Polizeipräsidiums einige Papiere zu beschaffen hätte.

Sofort verspannte ich mich, wurde hellwach. Ich wußte nicht, worum es sich handelte, wußte aber, daß jede offizielle Nachfrage meine ohnehin prekäre Lage noch gefährlicher machte. In der Nacht schreckte ich mehrmals aus dem Schlaf auf und verlor mich in Vermutungen, eine bedrohlicher und entsetzlicher als die andere.

Am nächsten Tag machte ich mich nach dem Unterricht mit den wenigen Papieren, die ich besaß, auf den Weg zu einer weiteren möglichen Kreuzigung. Ich hoffte, daß sie, entdeckten sie meine jüdische Abstammung, Mitleid mit mir zeigten und mich nicht sofort töteten. Ich tröstete mich bei dem Gedanken, daß sie mich vielleicht nach Lodz bringen würden, wo ich meine Eltern wiedersehen könnte. Sogar die Tatsache, mich mit anderen Juden in einem Ghetto wiederzufinden, schien mir besser als meine ständige Einsamkeit.

Auf unsicheren Beinen betrat ich das Polizeigebäude; ich hatte mich mit einer eventuellen Veränderung meiner Lebensumstände bereits abgefunden. Ich blieb kurz stehen, um mich innerlich vorzubereiten und mir Haltung zu geben. Ich klopfte an die Tür für »Innere Angelegenheiten, Abteilung Deutsche Staatsangehörigkeit«. »Herein!« rief eine Stimme im Raum. Aufrecht, kühn, bereit zu kämpfen, ging ich hinein. Mir gegenüber saß ein Zivilbeamter mit Parteiabzeichen. Ich reckte mich in die Höhe und schmetterte ein besonders zackiges »Heil Hitler!«. Er antwortete mit einem kurzen Gruß und bot mir einen Platz an. Betont höflich händigte ich ihm meine Vorladung aus. Er machte ein langes »Hmm« und begann, in einer neben ihm liegenden Akte zu blättern. Es gelang mir, meine Gesichtsmuskeln unter Kontrolle zu halten und mir meine Unruhe nicht anmerken zu lassen. Ich konnte es nur dank eines Geschenks des Himmels und beharrlicher Arbeit an mir. Die Minuten, die verstrichen, zerrten an mir, doch der Beamte las in aller Ruhe in seinen Unterlagen und sprach kein Wort. Plötzlich hob er den Kopf und fragte: »Aus welcher Gegend stammt der Name Perjell?« – »Aus Litauen, aus dem Osten, Baltikum«, antwortete ich ohne zu zögern. Ich erinnerte mich an den Namensexperten, den ich an der Front in Minsk getroffen hatte. – »Stimmt, stimmt. Du hast wahrscheinlich recht!« sagte er überzeugt. »Also wo ist deine deutsche Abstammungsurkunde? Sie fehlt. Wir brauchen sie zur Vervollständigung unserer Akte.«

Stolz holte ich die unschätzbare Verlustbescheinigung über meine Ausweispapiere hervor und hielt sie ihm hin. Er nickte. »Ja gut, diese Bescheinigung verdient allen Respekt. Aber zur offiziellen Vervollständigung deiner Akte brauchen wir etwas Amtliches. Du mußt dich unverzüglich an deine Heimatstadt Grodno wenden und eine Abschrift deiner deutschen Abstammungsurkunde anfordern! Andernfalls müßten wir zu den üblichen Maßnahmen greifen…«, sagte er lakonisch und lächelte kalt. »Jawohl, ich werde noch heute einen Brief nach Grodno schreiben, wie Sie wünschen!« antwortete ich und überlegte hastig, welche andere Lösung sich anböte.

Während die Front bereits zusammenbrach und die Alliierten in Frankreich ihr siegreiches Befreiungswerk fortsetzten, brachten es diese Deutschen noch fertig, sich um die Einsickerung artfremder Elemente in ihr Elitevolk Sorgen zu machen! Wir tauschten noch ein paar Höflichkeitsfloskeln aus und verabschiedeten uns mit dem üblichen Hitlergruß. Ich sprang die Stufen hinab. Ich brauchte dringend frische Luft. Ich atmete tief durch und fühlte mich besser. Dann blieb ich ratlos stehen. Selbstverständlich würde ich nicht nach Grodno schreiben, einfach weil dort kein Volksdeutscher namens Josef Perjell geboren worden war.

Ich wunderte mich darüber, daß der Beamte nicht auf die Idee gekommen war, selbst dorthin zu schreiben und dies mir überlassen hatte. Daß ich einen Monat Zeit hatte und mittlerweile irgendeine andere Lösung finden könnte, tröstete mich. Ich hatte das Gefühl, frei zu sein, doch frei wie ein zum Tode Verurteilter in einer Zelle ohne Gitterstäbe und Türschloß.

In der HJ-Schule ließ ich mir meine düstere und sorgenvolle Stimmung nicht anmerken. Ich beschloß, am nächsten Sonntag der Familie Latsch einen Besuch abzustatten, um mit Lenis Mutter über die drohenden Wolken zu sprechen, die sich über mir zusammenzogen, und mir Rat zu holen.

Doch dazu kam es nicht mehr. Mein Schutzengel griff von neuem ein. In der Nacht nach meinem Behördengang wurde Braunschweig zum ersten Mal bombardiert. Bis dahin hatten uns die alliierten Flugzeuge überflogen, ohne eine einzige Bombe abzuwerfen. Die Luftangriffe galten Berlin. Daher war der örtliche Luftschutz nicht besonders wachsam. Außerdem bestärkte ein übrigens plausibles Gerücht die Bewohner in dem Glauben, die Stadt werde verschont. Man erzählte, daß das Haus Braunschweig mit der britischen Königsfamilie verwandt sei und diese daher die Stadt ausgespart sehen wollte, um sie unversehrt in Besitz nehmen zu können. Dieses Gerücht hielt sich hartnäckig bis zu der Nacht, als Dutzende von Leuchtraketen, sogenannte Weihnachtsbäume, den Himmel taghell illuminierten und ein Bombenregen die Stadt in einen Schutthaufen verwandelte. Braunschweig brannte. Die Explosionen hatten uns überrascht und lösten eine allgemeine Panik aus, die größer war als diejenige in Grodno. Welch wankelmütiges Schicksal! Wieder einmal war ich heftigen Luftangriffen ausgesetzt, doch diesmal gereichten mir die Bomben zum Vorteil. Schreckensschreie und sich widersprechende Befehle ertönten und gingen im Bombenlärm der fliegenden Festungen *B 52* unter.

Eine Ruine war nun auch das Gebäude mit der »Abteilung Deutsche Staatsangehörigkeit«, in der meine Akte der Bestätigung aus Grodno harrte. Das Haus wurde restlos zerstört, und es wäre vergebliche Mühe gewesen, nach eventuellen Überbleibseln der Akte zu suchen. Alles war in Flammen aufgegangen. Ich sandte dem Himmel ein Dankgebet für den anonymen Piloten, der so trefflich gezielt hatte, bevor er seine Bombe abwarf. Ich sagte mir: »Siehst du, Schloimele, jetzt werden sie dir keinen Ärger mehr mit ihren Nachforschungen über deine Abstammung machen!« Nach der Entwarnung rief man uns zu den Trümmerkommandos. Wir hatten bereits Übung, da wir in der Nachbarstadt Hannover, die häufig bombardiert wurde, an solchen Hilfsaktionen teilgenommen hatten. Ich zögerte nicht, mit meinen Kameraden hinauszugehen und meine Pflicht zu erfüllen. Zumeist machten wir Kaffee und belegte Brote und verteilten beides an den Straßenecken.

Ich bot aber auch all meine Kräfte und meinen ganzen Mut auf, wenn es sich darum handelte, ein Menschleben zu retten. Dies entsprach den Grundsätzen, nach denen mich meine Eltern erzogen hatten. Für mich war ein Mensch ein Mensch, gleichgültig, welchen Geschlechts, Alters oder welcher Herkunft er war. Insofern geriet ich nicht in Gewissenskonflikte. Jeder unter den Trümmern seines Hauses begrabene Verletzte hatte ein Recht auf meine Hilfe. Ich dachte weder an sein vorheriges Verhalten, noch daran, was er mir zugefügt hätte, wenn er erfahren hätte, wer ich war. Im übrigen muß ich sagen, daß ich in diesen Momenten ganz Jupp war. Meine äußere Erscheinung hatte die Herrschaft übernommen, ließ mich umherhasten und bei den Rettungsarbeiten mit anpakken, so wie es alle in meiner Umgebung taten.

In den drei Jahren, die ich in der nationalsozialistischen Schule verbrachte, war ich unablässig bestrebt, in allen Fächern zu den besten Schülern zu gehören, und es gelang mir mühelos. Eine ungeheure Kraft trieb mich an. Ich ging ganz im Lernen auf. Andererseits wußte ich mich allem fern zu halten, was mich hätte deprimieren oder in emotionaler Hinsicht erschüttern können. So muß ich also zugeben, daß ich bisweilen meine Vergangenheit vergaß.

Mein Leben ähnelte einer Uhr, deren Pendel an zwei Extreme schlug; auf der einen Seite befand sich das vorläufige, falsche und auferzwungene Leben, auf der anderen das echte, tief verwurzelte, doch verborgene.

Mein Pendel schlug unregelmäßig. Meist blieb es an Jupps Welt hängen. Dann schlug es für eine bestimmte Zeit zum anderen Ende aus. Kam es von Salomon zurück, unterzog es sich zuerst einer Gehirnwäsche, bevor es wieder zu Jupp zurückschwang.

Ich hatte manchmal Mühe zu erkennen, in welcher Persönlichkeit ich mich gerade aufhielt. Mein Doppelleben brachte mich selber durcheinander, und oft hätte ich nicht zu sagen vermocht, welche Rolle ich lieber spielte. So war auch ich über die Siege »unseres Vaterlandes, unseres großen Deutschlands« hellauf begeistert. Ich hielt mich sogar meinen Kameraden gegenüber mit Freudenbezeugungen nicht zurück, wenn beeindruckende Heldentaten bekanntgegeben wurden. Siegesmeldungen nahm man begierig auf. Handelte es sich um einen großen Erfolg, brach Jubel aus, und alle umarmten sich. Auch mich ließ dieses überströmende Glück nicht kalt. Ich strahlte mit ihnen über jeden Schritt, der uns dem »Endsieg« näherbrachte. Ich verschwendete keinen Gedanken an mein Hauptziel oder an meine Zukunft nach der »Endniederlage« und geriet nicht in innere Konflikte. Es war keine willentliche oder aufgezwungene Resignation, es war ein verhältnismäßig sicheres Mittel zu überleben oder über das nazistische Mörderregime zu triumphieren.

Oft wurde *Luftgefahr 15* gemeldet, was hieß, daß feindliche Flugzeuge fünfzehn Flugminuten von Braunschweig entfernt waren. Laut Vorschrift mußten wir sofort unsere Beschäftigung abbrechen und in die Luftschutzkeller eilen. Wir gewöhnten uns schließlich an den Luftalarm, und mehrmals wurden wir überflogen, ohne bombardiert zu werden. Die Wachsamkeit ließ also nach. Gleichgültigkeit und Nachlässigkeit machten sich breit. Es gab »Mutige«, die beschlossen hatten, die Gefahr einfach zu ignorieren und in ihren Wohnungen zu bleiben. Doch was geschehen mußte, geschah. An einem schönen sonnigen Morgen kündigte der Rundfunk einmal mehr *Luftgefahr 15* an, und diesmal explodierten die Bomben und trafen unsere Wohnanlage. Alles rannte wie von Sinnen zu den Luftschutzkellern. Während dieser überstürzten Flucht kam einer meiner besten Freunde, Björn Folvik, der zu der jungen Garde der norwegischen Quislinge gehörte, ums Leben. Ich hatte gerade noch Zeit gehabt, mich in Sicherheit zu bringen, und war über den Tod meines Kameraden tief betrübt. Ich nahm ein Blatt Papier und verfaßte spontan ein Gedicht zu Ehren meines toten Freundes, das so anfing:

Nun liegt er tot auf dem Rasen
mit dem Gesicht nach oben
als wollt er sagen:
Für's heilige Vaterland
vorwärts Kameraden!

Ich verhielt mich und sprach wie die anderen, ich war mit Leib und Seele Mitglied dieser Gruppe, sowohl in der Erscheinung als auch innerlich.

Heute sehe ich klar. Mein damaliges Verhalten spottete jeder Logik, und es fällt schwer, es zu begreifen und zu beurteilen. Dennoch war es so.

Eines Tages prallten die beiden Identitäten aufeinander und brachten mich aus dem Gleichgewicht. Es passierte im Rassenkundeunterricht. Der Lehrer rief mich auf und bat mich, die Notwendigkeit der Vernichtung der jüdischen Rasse zu erklären. Verdutzt und fassungslos ging ich zum Podest, um zu antworten. Wut und Ekel tobten in mir, zugleich sammelte ich all meine Überlebenskräfte. Nur der Satan konnte eine derartige Frage stellen und von einem solch besonderen Schüler wie mir die Antwort erwarten. Als Bester unter meinen Kameraden zu gelten, verlangte mir viel ab. Doch in diesem präzisen Fall mußte ich meinem verwirrten Geist neue Kräfte abringen, deren Existenz mir bis dahin unbekannt war. Plötzlich stieß meine Vergangenheit mit der Gegenwart zusammen und deckte das trostlose Paradox in seiner ganzen Schärfe auf. Gerade ich sollte mich zu diesem Verbrechen äußern! Ich war in einer entsetzlichen Verlegenheit, wußte aber, daß ich mich für die Zeit der Antwort beherrschen mußte. Ich hatte wohl einen unendlichen Selbsterhaltungstrieb. Unter innerlichen Qualen erklärte ich dem rassistischen Lehrer, was ich wußte. Kein äußeres Zeichen deutete auf den Sturm, der in mir heulte. Ich hatte den Eindruck, daß ihn mein Wissen befriedigte, und wahrscheinlich erhielt ich eine ausgezeichnete Note.

Trotz der sich von Tag zu Tag verschlechternden Lage an der Front war die Stimmung in der Bevölkerung gut. Sie wurde sogar noch besser dank der ermutigenden Gerüchte, die die Deutschen in ihren Hoffnungen bestärkten. Man munkelte, daß eine Geheimwaffe am Ende den Krieg für die Deutschen entscheiden würde. Man tuschelte, daß es fünf Minuten vor zwölf sei, daß der *Führer* bald den Daumen heben würde, um das Signal zum Abwurf einer Waffe auf die Schlachtfelder zu geben, deren Zerstörungskraft in der Militärgeschichte einmalig sei. Nach dem Krieg erfuhr ich, daß Nazi-Deutschland fieberhaft an der Atombombe gearbeitet hatte und kurz vor deren Herstellung stand.

In der HJ-Schule herrschte eine eigenartige Gleichgültigkeit, trotz der veränderten Frontlage. Am 6. Juli 1944 entstand mit der Landung der Alliierten in der Normandie eine zweite Front. Gleichzeitig erzielte der große russische Durchbruch entscheidende Siege. Die Sowjetarmee befreite die von den Nazis eroberten Gebiete, marschierte über die polnische Grenze und fügte der Wehrmacht schwere Verluste zu.

Der Krieg war faktisch entschieden. Währenddessen pflegten wir in der Schule unsere Großmachtsträume. Auch mich machte die veränderte Lage nicht wankend. Ich war tief in diese mir aufgezwungene Welt verstrickt, und die Dinge hatten meinen Verstand endgültig betäubt. Mein Bewußtsein war so umnebelt, daß kein Lichtstrahl der Realität eindrang. Ich fühlte mich weiterhin wie »einer von ihnen«. Unerbittlich hieß ich die abenteuerlichen und gefährlichen Maßnahmen der letzten deutschen Anstrengungen gut. Ich sorgte mich nicht mehr um mein Schicksal nach der Niederlage der Wehrmacht. Als das Reich schon in Todeszuckungen lag, nahm ich, wie gewöhnlich, an den verzweifelten Rettungsversuchen teil. Wir schlossen uns dem Volkssturm an, der »spontanen« Truppe aus Kindern, Hitlerjungen, Frauen, Greisen... aus all jenen, die noch eine Waffe halten konnten, um die Grenzen des Vaterlandes gegen den anrückenden Feind zu verteidigen.

Anfang 1945 wurden wir in den Wäldern um Braunschweig an einer neuen Panzerabwehrwaffe, der Panzerfaust ausgebildet. Endlich bekamen wir eine Waffe in die Hand. Meine Kameraden hielten sich schon für alte Kämpfer... Die Waffe war einfach und wirksam, aber ihre Handhabung gefährlich. Drückte man auf den Abzug und feuerte die Panzerfaust ab, schoß hinten eine lange Flamme heraus. Mehrere Kameraden erlitten dabei schwere Verbrennungen.

Man stellte eine Kompanie zusammen und schickte uns an die Westfront. Meine Erfahrung brachte mir die Ernennung zum Zugführer ein. Wir hatten Straßenbrücken zu überwachen und sollten die Wehrmacht bei der Zerstörung feindlicher Panzer unterstützen. Die Zeitungen veröffentlichten Fotos, auf denen Hitler im Volkssturm kämpfende Hitlerjungen mit der Tapferkeitsmedaille auszeichnete. Die junge Wikinger-Generation konnte doch nicht zulassen, daß Fremde in ihr geliebtes Vaterland eindrangen. Auf dem Weg zur Front hatten wir starke Truppenbewegungen in der Gegenrichtung festgestellt. Da hörte ich zum ersten Mal die pikante Bemerkung einiger »Waffenbrüder«: »Die da hauen ab und gehen nach Hause. Für die ist der Krieg vorbei.«

Aber warum kroch ich nicht aus meiner Schale heraus bei dem neuen Wind, der wehte? Trübsinnig blieb ich hocken, verwirrt und ohnmächtig. Ich weiß nicht, welche seelische Verfassung mich damals gehindert hat, aufzustehen und das Weite zu suchen. Die Front war ziemlich weit entfernt, aber man hörte deutlich den Kampflärm. Meine Stunde der Wahrheit hatte geschlagen.

Trotz meiner Verblendung hatte ich nicht vor, auch nur eine einzige Granate auf einen »feindlichen« Panzer zu werfen. Ich hatte nicht vergessen, daß nicht sie meine Feinde waren.

Endlich wollte ich sie sehen, um ihnen zu bedeuten, daß sie willkommen seien. Tief aus meinem Innern stieg die so lange betäubte Hoffnung wieder auf, zwar leuchtete sie noch schwach, war aber stark genug, um allmählich die Nebel der letzten Jahre aufzulösen, dieselben Nebel, die mit unerschütterlicher Zuverlässigkeit meine wahre Herkunft eingehüllt und geschützt hatten.

Mein Erwachen erfolgte nicht blitzartig. Die ständige Anspannung des Kampfes um mein Leben, unter der ich seit Jahren stand, ließ nicht auf einen Schlag nach, sie dauerte an, verminderte sich indes nach und nach. Ich konnte die Haut des Feindes, in der ich überlebt hatte und die meine eigene geworden war, nicht so ohne weiteres wieder abstreifen.

Der 21. April 1945 war der erste Tag meines zwanzigsten Lebensjahres. Einer der mit mir in Stellung liegenden Kameraden gratulierte mir zum Geburtstag.

Sechs Jahre waren seit meinem Aufbruch in dieses aberwitzige Leben vergangen, in vieren davon war ich meines Ichs beraubt und ein anderer geworden.

Am Tag zuvor hatte der *Führer* Geburtstag. Wir hörten Joseph Goebbels' alljährlich wiederkehrende Ansprache an das deutsche Volk, in der, wie immer an diesem Tag, Hitler und ganz Deutschland gefeiert wurden. Ich erinnere mich gut seiner letzten Sätze. Mit deutlich veränderter Stimme hatte Goebbels erklärt: »Wenn wir Deutschen den Krieg verlieren sollten, ist die Göttin der Gerechtigkeit eine Hure des Geldes, und dann sind wir Deutschen nicht mehr würdig, auf dieser Welt weiterzuleben.«

In derselben Nacht, zwischen dem Geburtstag des geschlagenen *Führers* und meinem zwanzigsten Geburtstag, ereigneten sich große Dinge. Das Kriegsende kündigte sich an!

Der Vorhang fiel. Ich hatte die Rolle, die mich das Schicksal auf der Bühne meines Lebens erfolgreich zu spielen gezwungen hatte, ausgespielt! Ein anderer Vorhang wurde hochgezogen: Die Selbstverleugnung und Isolation des jungen Juden Salomon, Sohn des Israel, war zu Ende.

Ich erhielt das schönste Geburtstagsgeschenk, das ich mir und das sich wohl die ganze Welt vorstellen konnte!

In dieser entscheidenden Nacht wurde mein leichter Schlaf durch gebrüllte Befehle in einer fremden Sprache und von schmerzhaften Schlägen mit einem Gewehrkolben unterbrochen. Meine schweren Lider konnten nur mit Mühe der gewalttätigen Aufforderung nachkommen. Ich wurde nicht gewahr, daß dies ein Erwachen nach einer ewigen Nacht war, in der meine Seele in der Verbannung gelebt hatte, und daß sich meine Augen nun dem Licht der Wahrheit und der Freiheit öffnen würden.

Die amerikanische Armee nahm unser Lager im Sturm ein, ohne auf den geringsten Widerstand zu treffen. Dann erschien plötzlich eine kleine Einheit und befahl uns, uns an der Wand aufzustellen. Die Männer beschlagnahmten alle Waffen und die gesamte Ausrüstung, die wir noch besaßen, und schichteten sie im Freien zu einem großen Haufen auf. Ich sah, wie mein Fotoapparat aus meinem Beutel gerissen wurde und in den Besitz eines amerikanischen Soldaten überging. Ich wagte nicht zu protestieren oder eine andere Reaktion zu zeigen.

»Nazis an die Wand!« brüllten sie, bis auch noch der letzte von uns mit über dem Kopf gekreuzten Armen in der Reihe stand. Ich stellte mich mit den anderen mit dem Rücken an die Wand und sah einer neuen, unbekannten Realität entgegen. Es war wie eine Sinnestäuschung. Neben mir hörte ich es flüstern, daß man uns erschießen würde. Siegestrunkene Soldaten, denen die Kriegsgreuel noch in frischer Erinnerung waren, konnte der Rachedurst leicht zu Übergriffen hinreißen.

Auf diese Weise sah ich mich also von neuem »feindlichen« Soldaten gegenüber, wie vier Jahre zuvor auf einem Feld bei Minsk.

Warum aber hatte ich damals vor dem deutschen Wachposten all meinen Mut zusammenzunehmen gewußt und erklärt: »Ich bin Volksdeutscher!« Und jetzt war ich wie gelähmt, unfähig zu schreien: »Nicht schießen! Ich gehöre nicht dazu, ich bin Jude, es ist wahr!« Da stand ich und sagte keinen Ton.

Ich steckte in meiner dicken und starken Hitlerschale und konnte nicht heraus.

Welcher Zynismus wäre es, dachte ich, an meinem Geburtstag von den Befreiern erschossen zu werden, und das in dem Augenblick, da die Freiheitsglocken schon erklangen! Mein verschlungener Lebensweg würde für immer dem Vergessen anheimfallen. Ich wollte ja schreien, aber ich hatte Angst. Die Worte wollten einfach nicht kommen. Ich hatte einen Schock erlitten und fand keinen Ausweg.

Glücklicherweise war von Erschießung keine Rede. Den amerikanischen Soldaten war es auch nicht eingefallen, sich an uns zu rächen. Sie sahen in uns irregeleitete Kinder und hatten uns nur erschrecken wollen.

Eine lange Stunde standen wir vor den drohenden Gewehrläufen, bis die Untersuchungen und Beschlagnahmungen beendet waren. Die meisten Soldaten gingen. Eine kleine Gruppe blieb zu unserer Bewachung zurück.

Man befahl uns, alle Naziabzeichen abzulegen, die fortan von den Alliierten verboten wurden. Rasch warf ich alle Sportabzeichen, die ich angehäuft hatte, und das Koppel der Hitlerjugend weg. Ich stieß sie weit von mir. Wer war ich jetzt? Ich schwebte über fremden, unbestimmten Gebieten, hatte keinen festen Boden unter den Füßen und kein Haus, in das ich hätte zurückkehren können. Meine wahre Identität war mir noch unbekannt. Es gab sie zu jener Stunde noch nicht. Die Freiheit war unbegreifbar. Ich hatte vergessen wie sie aussah.

Am folgenden Tag wurden wir aus dieser kurzen Gefangenschaft entlassen. Wir zerstoben in alle Winde, jeder ging seiner Wege, schloß sich den zahllos umherirrenden Flüchtlingen an, die ihre versprengten Familien wiederzufinden hofften. Ich hatte noch niemandem gesagt, daß ich Jude sei. Ich wollte mich nach Braunschweig zu meiner Schule durchschlagen, um dort meine Sachen zu holen und mich zu sammeln. Ich wollte mit mir selbst zu Rate gehen, begreifen, daß die dunklen Jahre der Tarnung nun vorüber waren, und mich an das Licht einer neuen Welt gewöhnen. In völlig verwirrtem

Zustand machte ich mich auf zu meinem neuen Leben. Ich beschaffte mir ein Fahrrad und legte die Entfernungen auf den Autostraßen zurück. Tausende irrten umher, Flüchtlinge, die ihren Weg suchten, besiegte und niedergeschlagene Wehrmachtssoldaten, ausgezehrt von den Strapazen. Und dazwischen überall die Alliierten, die Sieger. Ein Menschenwirrwarr auf Fahrzeugen jeder Art wie behelfsmäßigen Karren und Fahrrädern oder auf Schusters Rappen...

Und ich, wo sollte ich beginnen? Wie würde meine Zukunft aussehen, und wie würde sie sich mit dem Vergangenen verbinden? Würde ich mein zerborstenes Ich wieder herstellen können? Könnte meine zerstörte Existenzgrundlage wieder heil werden? Wäre es möglich, auf schwankendem Fundament ein neues Leben aufzubauen? Natürlich hatte ich mich meiner geliehenen Identität entledigt, aber noch fand ich meine wahre nicht. Ich radelte im Niemandsland. Etwas war zu Ende, aber etwas Neues begann nicht.

In einem Straßengraben machte ich Rast. Ich holte Verpflegung aus meinem Beutel, die man an der Front noch ausgeteilt hatte und die ich mir aufgespart hatte. Während ich aß, betrachtete ich die in verschiedenen Richtungen vorbeiziehenden Deutschen. Ich beobachtete die Gefangenen, die man unter scharfer Bewachung zu den Sammel- und Verteilungsstellen beförderte. Das Blatt hatte sich gewendet. Die stolzen »Herrenmenschen« mit der unumschränkten Macht schienen seit gestern am Ende zu sein.

Als ich mich Braunschweig näherte, erfuhr ich, daß die Stadt gefallen war und ihre Bewohner zum Zeichen der Übergabe weiße Fahnen an ihre Fenster hatten hängen müssen. Ich trat mit neuer Kraft in die Pedale und kam müde und keuchend in der eroberten Stadt an. Auf den Gebäuden wehten tatsächlich weiße Fahnen, und an den Mauern klebten riesige Plakate. Sie stammten von der amerikanischen Besatzungsmacht, die klar und unzweideutig bekanntmachte, daß jeder Bürger im Besitz einer Waffe oder von Nazizeichen und jeder, der die Ausgangssperre mißachte, erschossen werde.

Ich beeilte mich, in meine ehemalige Schule zu kommen, da die Stunde der Ausgangssperre näherrückte. An der Hecke, die um das Internat wuchs, sah ich eine Menschenmenge stehen. Ich begriff, daß es sich um die Arbeiter handelte, die man zur Arbeit im Volkswagenwerk aus dem Osten geholt hatte und die nun befreit worden waren. Sie waren aus ihren winzigen, stacheldrahtbewehrten Baracken aus- und in unsere geräumigen Zimmer eingezogen. Ich konnte nun nicht mehr dorthin zurück, um meine Sachen zu holen. Da ich keine Wahl hatte, fiel mir das ehemalige Lager der Zwangsarbeiter ein. Es war nicht weit, und es gelang mir, wenige Minuten vor dem Beginn der Ausgangssperre durch den immer noch vorhandenen Stacheldrahtzaun zu schlüpfen und in eine der Baracken zu verschwinden. Dort ließ ich mich auf eine Pritsche fallen. Ich war allein auf dem Gelände, allein mit der Vergangenheit.

Ich spürte, daß jetzt keine schützende Hand mehr über mich wachte. Die Einsamkeit war eine ganz andere, wenn auch nicht leichter zu ertragen. Ich hatte die Besiegten verlassen, gehörte aber nicht zu den Siegern. Eine bittere und eigenartige Lage. Ich fühlte, daß etwas Wichtiges in mir schmolz und Tropfen um Tropfen versickerte. Meine geschärften Sinne, die Fähigkeit, sofort auf alles eine Antwort zu haben und mein starker Wille waren nicht mehr vorhanden. Sie hatten ihre Funktion erfüllt. Dabei fühlte ich, daß ich sie jetzt nötiger denn je brauchte.

Der Abend dämmerte, ich aß etwas von meiner eisernen Reserve aus meinem Rucksack und schlief, in mich verknäult, sofort ein. Mein tiefer Schlaf war eine Flucht, ein Abtauchen, ein Mittel, die Konfrontation mit der Zukunft zu verschieben. Ich brauchte eine Genesungszeit.

Traurig und widerwillig hatte ich damals meine Wehrmachtseinheit verlassen, und jetzt, nach drei Jahren als Hitlerjunge in äußerlicher Normalität, aber ständigem Kampf ums Überleben verspürte ich erstmals große Müdigkeit. Dabei mußte ich doch gerade völlig neu beginnen, mich in einem völlig anderen Leben zurechtfinden. Ich wurde wieder zu einem einzelnen, vom Baum abgerissenen Blatt, das der Sturmwind forttrug, richtungslos, nicht wissend, wo und wann es auf der Erde landen würde. Ich war erschöpft und verzagt. Mein Tiefschlaf war der einzige Ausweg.

Aber ich hatte noch einen Funken Hoffnung. Die Überzeugung, daß sich auch in Zukunft alles irgendwie richten würde, war nicht ganz geschwunden und genügte, daß ich am Morgen aufstand, um den neuen Tag zu begrüßen und einen neuen Anfang zu machen.

Ich erinnerte mich an eine Braunschweiger Freundin, die in der Nähe wohnte. Wir waren früher manchmal zusammen ausgegangen, und ich beschloß, sie aufzusuchen. Ich stieg die Holztreppe ihres Hauses empor und klopfte an die Tür. Es dauerte eine Weile, bis die Tür geöffnet wurde und sie vorsichtig den Kopf heraussteckte. Sie freute sich, mich zu sehen, fragte, wie es mir ginge, und entschuldigte sich, mich nicht hereinbitten zu können, da sie Besuch von einem Freund habe. Sie forderte mich auf, nachmittags wiederzukommen. Durch die halb offene Tür sah ich eine nachlässig auf einen Stuhl geworfene Uniform. Ich verstand, daß es ihr peinlich war und ging sofort wieder. Ich war erstaunt und konsterniert: Du? Und so schnell?

Ich nahm mir vor, nachmittags Frau Latsch und ihre Tochter Leni zu besuchen. Einstweilen kehrte ich in meine Unterkunft, das verlassene Arbeiterlager zurück. Auf dem weiten Gelände traf ich auf einige Polen und Russen. Einer sagte zu seinen Begleitern: »Sieh dir diesen Deutschen an, der hier herumstreicht!« Drohend und Beschimpfungen ausstoßend kamen sie näher. Ich versuchte, ihnen auf russisch verständlich zu machen, daß sie sich täuschten, ich kein Deutscher, sondern Jude sei. Wie aber sollten und konnten sie das glauben, wo ich, Sally, doch immer noch in Jupps Uniform herumlief? Sie verprügelten mich, obwohl ich schrie: »Ich bin Jude!« Schließlich konnte ich davonlaufen.

Im Stadtzentrum wollte ich mich stärken und auf dem Rathaus die Lebensmittelkarten abholen, die mir zustanden. Die Hauptstraße, in der sich die Behörden befanden, war voller Passanten. Ich konnte mir kaum einen Weg bahnen. Plötzlich blieb mein Blick an einem Mann hängen. Er wirkte völlig abgezehrt, sein Kopf war rasiert, und er trug einen Sträflingsanzug. Ich ging näher an ihn heran. Auf seiner Brust hatte er ein farbiges Dreieck mit einer Nummer aufgenäht, darunter das Wort *Jude.* Ich schaute ihn an und setzte meinen Weg fort. Nach ein paar Schritten blieb ich stehen. Da hatte *Jude* gestanden. Konnte das stimmen? Es gab mir einen Stich: War denn noch ein Jude übriggeblieben? Außer mir kannte ich keinen.

Der Funke meiner Herkunft, der nie erloschen, sondern nur von einem eisernen Panzer überdeckt war, flammte auf und steckte mich in Brand. Ich machte rasch kehrt und holte im Laufschritt den Mann ein. Ich baute mich vor ihm auf und schaute ihn mit funkelnden Augen an, als wäre er eine übersinnliche Erscheinung.

Mit einer unglaublichen Naivität fragte ich ihn: »Entschuldigen Sie, mein Herr, sind Sie wirklich Jude?« Er richtete einen freudlosen Blick auf mich. Natürlich konnte er sich nicht vorstellen, daß ich ebenfalls Jude war. Ich trug noch meine Uniform. Die dunklen Flecken auf dem fadenscheinig gewordenen Stoff ließen keinen Zweifel daran, daß hier vor kurzem noch die verfluchten und gefährlichen Abzeichen gesteckt hatten.

Ich hätte ihn schütteln mögen, um ihn von meiner Aufrichtigkeit zu überzeugen. Aus dem hintersten Winkel meines Gedächtnisses, aus einer dunklen Gehirnzelle holte ich die schönsten und feierlichsten Worte, die ich fand, und sagte zu ihm: *Schma Israel,* »Höre Israel«!

Ich fühlte, daß er mir glaubte. Ich umarmte ihn und flüsterte ihm ins Ohr: »Ich bin auch Jude. Ich heiße Salomon Perel.«

Dies war der entscheidende Augenblick. Ich fühlte plötzlich, wie eine Veränderung in mir vorging. Die fremde, aufgezwungene Welt versank im Abgrund. Ich war am Ziel. Ich legte meinen Kopf auf seine Schulter... und weinte. Endlich flossen die Freudentränen, in denen auch Dank mitfloß, und ich schöpfte neue Kraft. Er ließ sich von meinen Gefühlen mitreißen, und seine Augen leuchteten ebenso wie die meinen. Dieser treue Mann, der mir soviel bedeutete, hieß Manfred Frenkel, ein Braunschweiger Jude. Er kam aus Auschwitz, wohin er aus dem Ghetto in Lodz transportiert worden war.

»Sie waren also auch im Ghetto in Lodz?« fragte ich ihn sofort. »Haben Sie dort vielleicht eine Familie Perel getroffen?« – »Ja«, antwortete er schlicht. Die Antwort genügte mir nicht. »Ich habe eine Zeitlang auf einem Güterbahnhof bei Lodz gearbeitet. In meinem Arbeitskommando war ein Jude namens David Perel.«

»Aber das ist mein Bruder!« schrie ich auf. Ich fühlte, daß dies der erste Meilenstein auf dem Weg war, der mich zu meiner Familie führen würde. Aber er kannte keine weiteren Einzelheiten. Ich begleitete ihn ein Stückchen. Er war derjenige, der mir zum ersten Mal von diesem Schreckensort Auschwitz erzählte, von den Gaskammern, den Verbrennungsöfen, den Greueln.

Ich war sprachlos. Vier Jahre lang hatte ich unter ihnen gelebt und nichts erfahren. Wie habe ich mir verhehlen können, daß sie das, was sie uns im Unterricht über die Vernichtung »dieses Volkes von Schmarotzern und Blutsaugern« beibrachten, vor Ort auch auf grauenhafte Weise wahrmachen würden? Wußten es meine deutschen Kameraden von ihren Eltern, sprachen aber nur nicht darüber? Gab es eine stillschweigende Übereinkunft? Hatten unsere Lehrer Kenntnis von den Geschehnissen in Auschwitz? Sprachen sie aus persönlichen Motiven nicht im Unterricht darüber? Die theoretische Provokation beherrschten sie ja perfekt.

Während jener Jahre hatte ich oft zahlreiche Arbeiter auf den Straßen der Stadt getroffen. Sie trugen Zivilkleidung, und aufgesetzte Flicken zeigten ihre Herkunft an und unterschieden sie von der örtlichen Bevölkerung. Ich sah regelmäßig die Wochenschauen im Kino, aber nicht ein einziges Mal waren Leute in Sträflingskleidung darin vorgekommen. Man darf vermuten, daß die Mehrzahl der Deutschen im Dritten Reich das Ausmaß der Vernichtung ahnte, niemals jedoch wurde das Thema in einem Gespräch, bei dem ich zugegen war, angeschnitten. Während all der Jahre, die ich unter ihnen als ihresgleichen verbrachte, habe ich nie das leiseste Gerücht oder die geringste Andeutung über den Völkermord gehört. Im Rundfunk, in den Zeitungen wurde die »Endlösung« niemals erwähnt. Oder waren meine Augen und Ohren dafür geschlossen, hatte ich mich so vereinnahmen lassen?

Im Gegensatz zu dem Schweigen, das man über die Vernichtung breitete, machte Goebbels' Propaganda viel Lärm um die Entdeckung eines Massengrabs von polnischen Offizieren bei Katyn. »Wie kann die Welt über dieses von den Bolschewiken angerichtete Gemetzel einfach hinwegsehen?« fragten die Mörder von Millionen von Menschen zynisch. Von ihren eigenen Verbrechen war nie die Rede. Erst Manfred Frenkel öffnete mir die Augen. Im ideologischen Treibhaus der HJ-Schule lernte ich zwar Rassentheorie, doch mein Gehirn weigerte sich, eine Verbindung herzustellen oder zu erkennen, daß diese Theorie zur selben Zeit in den verschiedenen Todeslagern bereits zur Anwendung kam.

Der tiefe Schmerz, den ich empfand, ist seither mein ständiger Begleiter. Wie hatte ich das nur nicht begreifen können, als ich so oft durch das Ghetto von Lodz fuhr, daß diese Menschen dort nicht bleiben würden, sondern ein Kettenglied in den Transporten zu der Vernichtung darstellten!

Blicke ich heute zurück, fällt mir auf, daß ich damals nur Erwachsene, aber kein einziges Kind im Ghetto gesehen hatte. Diese Tatsache hatte mich nicht sonderlich beunruhigt, ich hatte mich nicht gefragt, was dies zu bedeuten habe.

Das System, in das ich verwickelt war, schärfte zwar einerseits meine Sinne, andererseits aber betäubte es sie. In den Nächten, die ich nur halb schlafend in dem aufgelassenen Barackenlager verbrachte, fühlte ich mich tief deprimiert. Die Gesichter aller Befreiten strahlten, wußten sie doch, daß sie in wenigen Wochen in ihr Heimatland, in ihre Städte und Dörfer zurückgeführt werden würden, wo sie Haus und Herd wiederfänden und ihr normales Leben wieder aufnehmen könnten. Und ich, ich hatte keinen Ort, an den ich hätte gehen können. Alles war zerstört.

Ich erinnerte mich an die Hymne *Hatikwa,* die Hymne der Hoffnung, die ich in der Gordonia in Lodz gelernt hatte, und sang sie ab und zu vor mich hin. Sie tröstete mich.

Eines Tages hörte ich Stimmen aus der Nebenbaracke. Ich schlich mich heran und sah zwei sowjetische Mädchen, die sich über eine Pritsche beugten. Sie kümmerten sich um einen russischen Arbeiter, der in seiner Trinklust riesige Mengen von Methylalkohol in sich hineingeschüttet hatte. Seine Eingeweide brannten ihm wie Feuer, und er hatte das Augenlicht verloren. Der arme Mann tat mir leid. Er hatte einen schrecklichen Preis für den Rausch der Befreiung bezahlt.

Mit einem der Mädchen hatte ich mich heimlich befreundet, als ich noch in den Werkstätten des Volkswagenwerkes arbeitete und die Abzeichen eines Scharführers der Hitlerjugend auf meiner Brust funkelten. Mehr als einmal hatte ich mich mit ihr trotz des Verbotes in ihrer Sprache unterhalten. Diese Beziehung hatte mir damals viel Freude gemacht. Jetzt war alles erlaubt. Wir klärten rasch, was über die Vergangenheit zu sagen war, und begegneten einander herzlich und aufrichtig. Sie war von einer beeindruckenden slawischen Schönheit.

Seit all den Jahren verwahre ich sorgsam die Adresse und das Photo, das sie mir zum Andenken gab. Ich hatte mir vorgenommen, sie zu besuchen, sobald die politischen Beziehungen zwischen Israel und der Sowjetunion dies zuließen. Ich wollte in die Gegend von Tewlinski fahren und in dem Sowchos *Karl Marx* nach der Genossin Tschaika Gallina Jakowna fragen. Als Josef Perjell, der Deutsche, hatte ich mich von ihr verabschiedet, und als der Augenblick gekommen war, ihr die Wahrheit zu sagen... Ja, da hatte ich mein Geheimnis für mich behalten! Ich weiß bis heute nicht, warum.

Ich schaute auf einen Sprung bei der Familie Latsch vorbei,

Die ukrainische Freundin Gallina Jakowna (mit Kopftuch).

und es kam zu jener letzten Begegnung mit Leni, die mein
Geheimnis bereits von ihrer Mutter erfahren hatte. Wir waren
fröhlich, gingen noch einmal zusammen aus und verabschiedeten uns dann. Für unsere Freundschaft, die Freundschaft

zwischen einem BDM-Mädchen und einem Hitlerjungen, war die Zeit abgelaufen. Mit ihrer Mutter korrespondierte ich mehrere Jahre lang, bis zu ihrem Tod. Leni wurde Ballettänzerin und heiratete unseren gemeinsamen Freund Ernst Martins, der für die Gestapo gearbeitet hatte. Sie wanderten nach Kanada aus.

Es kam der Tag, an dem ich Braunschweig verließ. Doch neben den schweren Dingen gab es auch fröhliche Ereignisse, und so blieb ich der Stadt gegenüber gespalten. Ich verließ die geheime Kampfarena als Sieger. Weder die schmerzlichen Erfahrungen noch die angenehmen Momente werde ich vergessen. Ich habe sie kunterbunt durcheinander im Gedächtnis behalten. Ich ließ Braunschweig bewegt hinter mir und wandte mich einer künftigen Welt voller Träume und Hoffnungen zu.

Ich fuhr nach Peine, doch diesmal als freier Mensch. Ich wollte mir einen Ausweis mit meinem wahren Namen besorgen. Ich begab mich auf das Rathaus, um mir einen Auszug aus dem Geburtenregister zu holen. Dort wurde meinem Ersuchen mit distanzierter Höflichkeit entsprochen, und das Papier wurde unverzüglich ausgestellt. Man befreite mich sogar von der Gebührenpflicht…

Bei den Beamten stieß ich hier und da auf ein gezwungenes Lächeln. Natürlich erinnerten sie sich an die Familie Perel, wagten aber nicht zu fragen, was aus ihr geworden sei.

Masel tov, Glückwunsch, Sally Perel war wiedergeboren!

Allein und von meiner Welt getrennt, hatte ich meinen Krieg ums Überleben geführt und hatte ihn gewonnen. Ich hatte meine Geburtsurkunde erhalten, man hatte mir meine widerrechtlich entzogene Identität wiedergegeben. Doch Jupp blieb nach diesen Ereignissen noch in mir, er war mir teuer wie ein aufregender Teil meines Lebens. Ja, ich stehe zu dem Hitlerjungen Jupp. Ich habe nichts gegen ihn einzuwenden, keinen Haß auf ihn, keine Anklage gegen ihn zu richten. Er hat gehandelt wie er mußte. Unter den Umständen, unter denen er lebte, konnte er sich nicht anders verhalten.

Beim Verlassen des Gebäudes stieß ich auf ein riesiges

Schild: »Hilfskomitee für die Opfer des Nationalsozialismus«. Ich hatte Skrupel hineinzugehen. Ich kämpfte mit mir. Gehörte ich auch zur Kategorie der Opfer? Ein Schauder überlief mich, wenn der kleinste Gedanke in mir auftauchte, der mich auf die Seite der Nazis stellen wollte. Es ist wahr, ich lebte frei wie ihresgleichen im Glanz ihrer Welt. Aber was war mit meiner geschundenen Seele, mit meinem Schmerz, meinem stillen Leid? Was war mit meinen geraubten Eltern, was mit der verlorenen Zeit, der beschädigten Zukunft?

Eine neue Sorge nagte an mir. Wie würden mich die Überlebenden der Lager aufnehmen? Würden sie mich als ihnen gleichrangig betrachten? Wäre ich in ihrer Gesellschaft mit mir selbst im reinen? Sie hatten gelitten, waren gedemütigt und gefoltert worden, hatten unablässig an der Schwelle des Todes gestanden, während ich mit ihren Mördern Umgang pflegte und am Radio klebte, um ihrem Siegesgebrüll zu lauschen. Welch furchtbarer Widerspruch! Vielleicht war ein Brückenschlag unmöglich.

Meine Erklärungen beschwichtigen meinen schmerzhaften Gewissenskonflikt etwas, konnten ihn aber nicht lösen. Schließlich entschied ich, daß auch ich ein Opfer der Verfolgungen und der braunen faschistischen Tyrannei war und ging zu dem Komitee, das sich um die Überlebenden kümmerte. Dessen Büro sah aus wie ein mit Lebensmitteln erster Güte und Kleidern vollgestopftes Vorratslager. Politische Gefangene, die aus den Konzentrationslagern zurückgekehrt waren, hatten diese Einrichtung geschaffen und verwalteten sie mit den restlichen Sympathisanten der örtlichen Sozialdemokraten und Kommunisten.

Ich stellte mich unter meinem echten Namen vor und gab meine wahre Herkunft an. »Was?! Du bist der kleine Sally der Familie Perel?« fragte mich fröhlich einer von ihnen. »Ich erinnere mich an dich, mein Lieber. Ich kannte deinen Vater sehr gut.« Ohne nach einem Beweis oder einer Erklärung zu fragen, schlug er mir vor, mir neue Kleider auszusuchen. Man machte mir auch ein großes Lebensmittelpaket zurecht. Ich wählte ein sehr hübsches Hemd, einen neuen Anzug und andere Sachen. Zwei Wochen nach der Befreiung zog ich endlich meine Uniform aus und trat in mein neues Leben.

Doch als ich diesen Weg einschlug, wußte ich nicht, welche Schwierigkeiten mich erwarteten. Nach und nach ging mir die Bedeutung meines wundersamen Überlebens auf. Ich freute mich.

Meine Gespräche mit den Überlebenden der Konzentrationslager verliefen in einer ruhigen Atmosphäre. Sie baten mich, am Aufbau weiterer Hilfsbüros in der Stadt teilzunehmen. Ich stimmte gerne zu. Sie hatten vor, eine Liste der örtlichen Nazi-Verbrecher aufzustellen und sie bei den militärischen Sondergerichten anzuzeigen. Wir beschlossen auch, dem Schicksal der Jüdischen Gemeinde von Peine nachzugehen. Mittlerweile hatten wir vom dramatischen Ende des Sekretärs der örtlichen Kommunistischen Partei, des Genossen Kratz, erfahren. Er wurde mit Hunderten von Juden und anderen deutschen KZ-Häftlingen wenige Tage vor Kriegsende auf einem alten Schiff zusammengepfercht. Das Schiff wurde versenkt, die Menschen ertränkt.

Als ich gerade gehen wollte und versprach, an der nächsten Versammlung teilzunehmen, betraten zwei Juden den Raum, die in ihr Heimatland Rumänien zurückkehren wollten. Ich war glücklich, sie zu sehen. Sie hatten Bergen-Belsen überlebt. Aus ihrem Munde hörte ich zum ersten Mal diesen Namen und erfuhr von dem Furchtbaren, das dort geschehen war. Sie sagten mir, daß sich das Lager in der Nähe von Celle befände, und ich beschloß, dort nach Familienangehörigen zu suchen.

Ich wünschte meinen befreiten Glaubensbrüdern alles Gute für ihre Rückkehr ins Leben und verabschiedete mich von allen in bester Stimmung.

Prächtig gekleidet und mit Paketen beladen, machte ich mich auf den Weg. Meine schwarze Uniform warf ich in die erste Mülltonne, die ich sah. Sie hatte ihre Funktion erfüllt. Ich trauerte nicht um sie. Aber hatte mein Doppelleben wirklich ein Ende?

Glückstrunken ging ich durch die altvertrauten Straßen von Peine. Vor nicht allzulanger Zeit war ich über dieses Pflaster gewandert, ich hatte mich hinter meiner Schirmmütze versteckt und den Kopf weggedreht, um nicht erkannt zu werden. Jetzt bot ich mich stolz und glücklich den Blicken aller dar. Salomon Perel lebte. Trotz allem und trotz der Entschlossenheit der Nazis, mich zu vernichten! Ich ging wie auf Wolken. Wie wohl tat es, nach mehreren Kriegswintern den ersten Friedensfrühling zu riechen! Der Duft der Maiglöckchen erfüllte die Luft. Die Stadt war nicht bombardiert worden, und wären nicht die unermüdlich hin- und herbrausenden Militärfahrzeuge gewesen, hätte man sich nicht vorstellen können, daß diese Bevölkerung einen sechsjährigen Krieg erlebt hatte, der der blutrünstigste und mörderischste aller Zeiten war.

Ich ging bei den Meiners' vorbei. Das Nazi-Emblem über der Tür war verschwunden. Ich betrat die Gaststätte. Es herrschte eine spürbar andere Atmosphäre, doch der Bier- und Tabakgeruch war derselbe.

Ich setzte mich an denselben Tisch wie schon einmal, beobachtete Thea und Clara und hörte den Unterhaltungen zu. Einer der Gäste sagte, daß er die zahlreichen Opfer und den schrecklichen Preis, den Deutschland bezahlt habe, beklage, und daß seiner Meinung nach der größte Kriegsverbrecher keineswegs Hitler, sondern Churchill heiße, weil der sich geweigert habe, zusammen mit den Deutschen die Russen zu bekämpfen.

Ich beschloß, mich nicht einzumischen und mich von solchen Erklärungen nicht irritieren zu lassen. Mich beschäftigten andere Gedanken in der Gaststätte Meiners. Ich weilte in früheren Zeiten. Meine Kindheit, heiße Sommertage und meine damaligen Phantasien waren mir eingefallen. Die Bestialität, die der nationalsozialistische Rassenwahn verkörperte, hatte diese Träume zerstört. Ich kämpfte mit mir, um mich nicht demoralisieren zu lassen. Ich schaute wieder Thea und Clara an, die schon junge Frauen waren. Sie arbeiteten rasch und präzise. Daran war nichts Erstaunliches. Bier wird immer getrunken; manchmal, um etwas Freudiges zu begießen, manchmal, um einen Schmerz zu lindern. Auch jetzt waren die meisten Tische besetzt. Ich bahnte mir einen Weg zu dem blitzenden Zapfhahn, und als sich Clara näherte, um ein Glas zu füllen, grüßte ich sie. Sie antwortete aus reiner Höflichkeit. Sie schaute mich und dann den weißen Schaum an, der sich setzte. Sie erkannte mich nicht.

Ich sprach sie an. »Ich bin es, Sally, ich bin nach Peine zurückgekommen.« Überrascht hörte sie auf, Bier zu zapfen, kam zu mir nach vorne und drückte mir herzlich die Hand. »Stimmt, du bist Sally. Zehn Jahre haben wir uns nicht gesehen.« Sie lächelte über das ganze Gesicht. »Nicht ganz«, antwortete ich, »vor kurzem hast du mir hier ein Bier serviert.« Sie begriff nicht, und ich versprach, es ihr später zu erklären.

Sie erzählte mir, daß ihre Eltern im letzten Jahr gestorben seien und ihr Bruder Hans in ein Kriegsgefangenenlager nach England gebracht worden sei. Er war Offizier der Waffen-SS gewesen. Ein Anflug von Stolz schwang in ihren Worten mit. Ich spürte auch, daß ihre Wiedersehensfreude nicht ganz echt war. Mittlerweile hatte sich Thea zu uns gesellt. Sie reagierte noch verhaltener.

Ich beschloß, nicht zu bleiben. Es war eindeutig, daß die »braunen Jahre« an den beiden Schwestern ihre Spuren hinterlassen hatten. Diese enttäuschende Begegnung konnte mir meine Laune jedoch nicht verderben und meine Freude nicht trüben. Ich verließ die Schwestern Meiners.

– Dreißig Jahre später sah ich sie wieder, um die Geschichte mit meinem dreisten Besuch in ihrer Gaststätte zu Ende zu erzählen. Ich dachte, sie fänden es schade, daß sie den verkleideten Sally nicht erkannt hatten. Aber ich stieß eher auf Unverständnis. –

Eine ehemalige Nachbarin, eine sehr alte Dame, schlug mir vor, bei ihr zu wohnen. Ich hatte sie beim Verlassen der Gaststätte getroffen und mich wieder daran erinnert, daß wir sie als Kinder einst »die böse Alte mit dem Stock« genannt hatten. Ich nahm ihr großzügiges Angebot gerne an. Ich fühlte mich in dem mir zur Verfügung gestellten, sehr gepflegten Zimmer wohl. Durch viel Schlaf erholte ich mich ein wenig. Ich nahm mir vor, am nächsten Tag nach Bergen-Belsen zu fahren. Nach der Sintflut.

Am nächsten Morgen erwachte ich, glücklich darüber, einen neuen Tag zu beginnen. Ich frühstückte mit der reizenden alten Dame und ging aus dem Haus.

Am Bahnhof kaufte ich eine Fahrkarte nach Celle, der Stadt, die Bergen-Belsen am nächsten lag. Die Reise war kurz, in weniger als einer Stunde war ich am Ziel. Schon von weitem sah ich das Lager, ein Fremdkörper in seiner Umgebung, ein schreiender Widerspruch zu der umliegenden Landschaft. Die grünen Felder und blumengeschmückten Bauernhäuser schufen eine friedliche Atmosphäre. Hatte ich mich verlaufen? Befand sich in einer solchen Umgebung, die das Abbild des Reichtums der Schöpfung war, ein Todeslager? Als ich näherkam, zweifelte ich nicht mehr.

Ich entdeckte eine riesige braune Sandfläche, auf der die hintereinander gereihten Baracken standen. Eine Staubwolke lag über allem. Viele Menschen liefen herum, Krankenwagen und Militärfahrzeuge der englischen Armee fuhren aus und ein. Ich ließ mich von der Menge mittragen. Die befreiten Gefangenen hatten einen harten Ausdruck. Nicht ein Funken Freude lag in diesen Gesichtern nach all dem, was sie erlitten hatten. Ich hörte Traktorenlärm. Mir wurde erklärt, daß die zahllosen Massengräber, die sich hier befanden, zugeschüttet und eingeebnet würden.

Plötzlich erhob sich aus der fremden Menschenmenge ein Schrei. Jemand rief auf polnisch meinen Namen: »Salek, Salek!« Überrascht blickte ich mich um. Vor mir standen die beiden Brüder Zawatzki. Sie waren ungefähr in meinem Alter, und ihre Erscheinung war relativ gepflegt gegenüber den anderen. Ich war der erste Bekannte, den sie nach der Befreiung trafen. Sie zeigten große Freude. Wir hatten viele gemeinsame Kindheitserinnerungen. Ich ging gerne darauf ein, als sie mich drängten, mit ihnen einige Tage im befreiten Bergen-Belsen zu verbringen. Untergehakt wandten wir uns ihrer Baracke zu. Sie boten mir eine Pritsche an, die durch den Tod eines Mannes am Vortag freigeworden war.

Während der drei Tage, die ich in Bergen-Belsen verbrachte, lauschte ich den Erzählungen und nahm entsetzliche Bilder in mich auf. Ich verglich unablässig ihr bitteres Schicksal mit dem, was ich durchgemacht hatte, und ich begriff, wie sehr mich das Leben in dieser schrecklichen Zeit verschont hatte. Jetzt hatten wir ein gemeinsames Schicksal. Ich schloß mich den Überlebenden an, wir befanden uns alle in einem luftleeren Raum – ohne Heimat, Vater und Mutter. Wir wußten nicht, ob diese ungewisse Lage bald einer sicheren und dauerhafteren weichen würde. Wir alle brauchten ein solides Fundament, um von der Vergangenheit zu genesen.

Ich verließ meine Bergen-Belsener »Gastgeber« und kehrte mit dem festen Vorsatz nach Peine zurück, weiterhin Nachforschungen über das Schicksal meiner Familienmitglieder anzustellen. Ich wußte, daß ich dazu in andere Lager fahren mußte. Nach meiner Rückkehr erhielt ich dank ehemaliger Freundinnen meiner Schwester weitere Nachrichten und einige Photographien von ihr.

Die Neuigkeit, daß eines der jüdischen Perel-Kinder wohlbehalten nach Peine zurückgekommen war, machte schnell die Runde. Mehrere Leute luden mich ein, sie zu besuchen; einige dachten, ich sei David, andere, daß ich Isaak sei, aber sie empfingen mich liebenswürdig. Die Mehrzahl dieser Einladungen schlug ich aus. Ich ging nur zu den Familien, die Photos meiner Eltern besaßen, Photos, die ich heute noch verwahre. Aus reiner Neugier folgte ich allerdings der Einladung zu einer spiritistischen Sitzung, bei der ich durch die Kontaktaufnahme mit dem Geist der Toten, so wurde es jedenfalls versprochen, über den Verbleib meiner Familie Aufschluß erhalten sollte.

Am vereinbarten Ort und zur bestimmten Stunde setzte ich mich, gespannt wie ein Flitzbogen, auf meinen Platz. Ich war zuvor noch nie mit den Geheimwissenschaften in Berührung gekommen. Ich betrat das Haus in dem Gefühl, an einem geheimnisvollen Zauber teilzunehmen, und begriff, daß der Abend eigens für mich veranstaltet wurde. Außer demjenigen, der »die Geister anrief«, befanden sich noch acht fremde Personen im Raum. Die doppelten Vorhänge wurden zurückgezogen, und es wurde duster. Auf dem runden Tisch lagen Briefe, Zahlen und verschiedene Karten, in der Mitte stand ein umgestülptes Glas. Wir setzten uns um den Tisch herum und faßten uns über dem Glas an den Händen.

Es herrschte gespanntes Schweigen. Lange Minuten verstrichen, aber niemand sagte ein Wort. Plötzlich gab das Medium ein undeutliches Gestammel von sich. Ich bekam Angst, konzentrierte meine Gedanken auf meine Familienmitglieder. Da geschah etwas Überraschendes: Das Glas erzitterte, bebte und bewegte sich. Genauso ist es gewesen. Ich hätte es nicht geglaubt, hätte ich es nicht mit eigenen Augen gesehen. Das Glas glitt in verschiedene Richtungen, hob sich leicht, als überspränge es Hindernisse, und forschte weiter nach dem Geheimnis der Seelen. Ich verfolgte aufmerksam das sich bewegende Glas. Ich schwitzte. Als das Glas still blieb, senkten wir die Arme, und einer der Teilnehmer zog die Vorhänge auf. Das Abendlicht drang in den Raum. Niemand sagte ein Wort, auch das Medium nicht, das sehr erschöpft wirkte.

Nach einer Weile wandte sich das Medium an mich und sagte: »Eines deiner Familienmitglieder, das dir sehr nahesteht und dessen Name mit dem Buchstaben D beginnt, ist am Leben und befindet sich sehr weit von hier, wahrscheinlich auf einem anderen Kontinent.« Sofort dachte ich: »David, mein Bruder, lebt. Ist das möglich?« Ich war in Aufruhr, nahm die Nachricht aber mit großer Freude auf. Ich wünschte von ganzem Herzen, sie möge wahr sein. Nach der Sitzung plauderte ich mit den Teilnehmern, die alle aus Peine stammten. Sie teilten mir mit, daß die Jüdin Frau Friedenthal in ihrem Haus in der Stadt überlebt habe, das sie nicht verlassen hatte. Ihre Tochter Lotte, ein ungewöhnlich schönes Mädchen, hatte man der Rassenschande bezichtigt und hingerichtet...

Glücklich verließ ich diese Leute und dankte ihnen herzlich, mich zu solch einer bewegenden Begegnung eingeladen zu haben. Wäre es nicht ein rechter Feiertag für mich gewesen, hätte sich die Weissagung, daß mein Bruder David lebte, als wahr herausgestellt?

Am nächsten Morgen suchte ich Frau Friedenthal auf, die so überraschenderweise überlebt hatte. Die alte Dame freute sich, mich zu sehen. Sie schien bei guter Gesundheit und von erstaunlicher Geistesschärfe. Wieviel Mut und Seelengröße mußte sie gehabt haben! Über zwölf Jahre hatte sie den Bannfluch und die Todesdrohungen ertragen, aber hatte an ihrem Platz ausgehalten wie ein unerschütterlicher Felsen im tobenden Meer.

Sie schlug mir vor, bei ihr zu wohnen, aber ich erklärte ihr, daß ich die Absicht hätte, Peine zu verlassen und durch die Konzentrationslager zu fahren, um meine Familie wiederzufinden. Ich wünschte ihr auch weiterhin Mut und gute Gesundheit und versprach, wiederzukommen. Frau Friedenthal ist nach Hannover in ein Altersheim umgezogen und starb 1978 in hohem Alter.

Auf einer meiner Fahrten traf ich zufällig einmal zwei sowjetische Offiziere, die zu einer Delegation aus der sowjetischen Besatzungszone gehörten. Ich freute mich und begrüßte sie in ihrer Muttersprache. Ich stellte mich als jüdischer Flüchtling vor und bat um ihre Meinung und ihre Hilfe zur Erlangung einer Durchreisegenehmigung durch Lodz und Auschwitz. Sie versprachen mir ihre Unterstützung und baten mich, ihnen einstweilen als Dolmetscher zu dienen. Sie spürten SS-Schergen auf und verhafteten sie. Es war mir ein Bedürfnis, dabei mitzuwirken. Ich sah in diesem Vorschlag eine Herausforderung und die Möglichkeit, der durch meine Entwurzelung entstandenen Leere etwas entgegenzusetzen. Ich nahm ihr Angebot begeistert an und fuhr nach Peine zurück, um meine Sachen zu holen. Wir begaben uns nach Magdeburg in Ostdeutschland, wo die Verbindungseinheit der sowjetischen Besatzungsbehörden stationiert war. Die Fahrt in dem eleganten Mercedes gefiel mir, und ich summte die *Hatikwa* vor mich hin.

»Du singst da ein schönes Lied, Salomon Esrielowitsch, woher stammt es?« fragte der höhere Offizier, der Major Pjotr Platonowitsch Litschman.

»Das ist die jüdische Hymne«, antwortete ich stolz.

»Haben die Juden denn eine Hymne?« staunte er.

»Natürlich, wir haben sogar eine Fahne.«

Ich half seinem Wissen etwas nach. Ich erinnerte mich an die Zeit der Gordonia in Lodz und stellte überrascht fest, daß ich nichts vergessen hatte. Jetzt, unter diesen Umständen, fiel mir alles wieder ein.

»Uns fehlt nur ein Land, Genosse Major«, fügte ich hinzu.

Ich ahnte nicht, daß drei Jahre später im Mai die Gründung des Staates Israel verkündet werden würde. Die *Hatikwa,* diese Hoffnung war einfach nicht vorstellbar.

Überall in der SBZ wurden zu der Zeit Erfassungsstellen eingerichtet, bei denen sich alle Männer ab einer bestimmten Altersklasse melden mußten, um Auskünfte über ihre Person zu geben. Es wurde auch kontrolliert, ob sie eine Tätowierung unter dem Arm trugen, das Zeichen ihrer Zugehörigkeit zur SS. Männer mit einer derartigen Tätowierung wurden auf der Stelle verhaftet. Ich dolmetschte in einem dieser Büros. Ich übersetzte auch die Gespräche zwischen den sowjetischen Vorgesetzten und den Sekretären der sozialdemokratischen und kommunistischen Parteien.

Die Sowjets wollten die beiden Parteien vereinen und den Weg zur Gründung der Deutschen Demokratischen Republik in Ostdeutschland ebnen. Die Sozialistische Einheitspartei entstand.

Ich entsinne mich eines der übelsten Momente der Gespräche, die ich dolmetschte. Es war eine Unterhaltung zwischen Major Litschman und einem hohen Kirchenvertreter. Der Nürnberger Prozeß der Naziverbrecherbande stand kurz bevor. Der Kirchenmann tat seine Meinung hierüber kund: »Bei den Christen findet das Jüngste Gericht vor Gott statt, jeder,

der Reue zeigt, darf auf die Vergebung des Barmherzigen hoffen.« Litschmann war über eine derartige Rechtfertigung empört und fragte, ob Gott auch den Mord an Millionen von Kindern und Säuglingen rechtfertige und vergebe. Der Mann erwiderte, die Kinder hätten unter dem Tod nicht gelitten, nur die Erwachsenen hätten ihn gefürchtet. Gott habe die Absicht, sie für ihre Fehler zu strafen und sie durch die Buße auf den rechten Weg zurückzuführen. Nach dieser Antwort wurde der fromme Mann hinausgeworfen.

Ich hatte die Suche nach meinen Eltern indes nicht aufgegeben und schrieb allen möglichen Stellen, um jeden Strohhalm zu sammeln. Einer der Briefe ging an eine Freundin meiner Schwester in Peine. Ich teilte ihr meinen augenblicklichen Aufenthaltsort mit und bat sie, mich über das mögliche Auftauchen eines meiner Familienmitglieder in Peine zu informieren. Nach einigen Wochen erhielt ich Antwort. Mechanisch öffnete ich den Umschlag, doch als ich die ersten Worte gelesen hatte, überflutete mich eine Welle des Glücks. Sie schrieb, daß mein Bruder Isaak und seine Frau Mira unlängst Peine besucht hätten. Mein Bruder Isaak lebte! Ich war trunken vor Freude und Glück. In ihrem Brief stand, daß er aus dem Ghetto in Wilna in das Konzentrationslager Dachau gekommen sei und dort von den Alliierten befreit wurde. Er wohne in München. Ich schrieb ihm unverzüglich, er möge mich sobald wie möglich besuchen, und fügte hinzu, daß ich mir aus ganzem Herzen wünschte, ihn zu sehen, und ich die Möglichkeit hätte, ihn über die Zonengrenze zu holen. Die gute Antwort ließ nicht auf sich warten. Isaak und Mira waren auf dem Weg.

Wir sahen uns in der Grenzstadt Öbisfelde wieder, bewegt und glücklich. »Mama, Papa, hört ihr? Euer Segensspruch und eure Gebete sind wahr geworden. *Ihr sollt leben!*, habt ihr gesagt, und jetzt sind wir da.« Mein Glück kannte keine Grenzen mehr, als mir Isaak sagte, unser Bruder David lebe und befinde sich bereits in Palästina. Ich brach in Tränen aus.

Jetzt erfuhr ich auch vom Schicksal meiner Schwester Ber-

Sally Perel mit dem sowjetischen Major Litschmann in Oebisfelde 1945.

tha. Mira und sie waren vor der Auflösung des Ghettos Wilna in das Frauen-KZ Stutthof bei Danzig gekommen, Isaak wurde in das KZ Dachau gebracht. Als 1944 die russische Front näherrückte, sollte das KZ Stutthof nach Ravensbrück verlegt werden, und es begann der später so genannte Todesmarsch. Es herrschte bitterer Frost. Bertha erfroren die Füße, Mira versuchte sie mit letzter Kraft zu stützen – ein verzweifelter und vergeblicher Rettungsversuch. Bertha konnte nicht mehr weitermarschieren. Sie bekam einen Genickschuß. Mira sah noch, wie aus ihrem offenstehenden Mund das Blut in den weißen Schnee am Wegrand floß. Oh Gott, wie schlimm, das aufs gleichgültige Papier zu bringen...

Später dann fuhr uns der Dienstwagen in die Villa der Litschmans. Maria Antonowna Litschman gab einen dem Ereignis würdigen Empfang. Flaschen alten wunderbaren Weines wurden aus dem Keller geholt und eine nach der anderen geleert. Wir feierten das Überleben des Restes unserer Familie...

Stundenlang sprachen wir von der Vergangenheit und der Gegenwart. Isaak informierte uns über den bewaffneten Kampf in Palästina, der gegen die Engländer und für die ungehinderte Einwanderung geführt wurde. Diese Neuigkeiten sollten große Bedeutung für mich erlangen. Ich hatte noch nicht darauf geachtet, aber jetzt spürte ich, daß etwas in mir zu wachsen begann, das dann so schnell zur Blüte kommen sollte. Hier dachte ich das erste Mal an Palästina.

Mira war hochschwanger, und so mußten sie nach München zurückkehren. Wir verabschiedeten uns und beschlossen, uns bald wiederzusehen. Einige Tage später erhielt ich eine Karte, die mir mitteilte, daß Mira ihrer Tochter Naomi das Leben geschenkt hatte.

Im Sommer 1947 war ich an einem Scheideweg angelangt. Eines Tages wurde ich in das sowjetische Hauptquartier in Berlin-Karlshorst beordert. Ein Zivilbeamter empfing mich äußerst höflich. Weil ich mir als Dolmetscher einen guten Ruf erworben hatte, schlug er mir vor, in eine Kaderschule in der Sowjetunion einzutreten. Er stellte mir in Aussicht, nach dem Ende meiner Studien eine aktive Rolle im Dienst der sowjetischen Besatzungsbehörde zu spielen. Mir war unbehaglich zumute: noch ein Spezialinternat! Dabei war ich mir bewußt, daß ich dort nicht auf eine doppelte Identität und auf falsche Namen zurückgreifen mußte. Dennoch konnte ich mich über solche Aussichten nicht freuen. Ich versprach, die Sache zu bedenken, das Für und Wider abzuwägen und baldmöglichst Antwort zu geben.

Ich kehrte in meine Unterkunft zurück und schloß mich ein. Ich hatte zwei Möglichkeiten, entweder ein paar Jahre in der Sowjetunion zu verbringen, um mich auf ein Leben vorzubereiten, dessen Ausgang ungewiß, aber das doch verheißungsvoll war, oder mich meinen überlebenden Brüdern anzuschließen, um mich dem Aufbau und der Entwicklung eines eigenen Staates zu widmen, in dem ich zu Hause wäre, nämlich Palästina.

Die Würfel fielen rasch. Die zweite Möglichkeit verdrängte die andere. Keine Verlockung und keine Macht konnten vor meiner Sehnsucht nach Familie und nach einem eigenen Land ein Hindernis errichten.

Plötzlich brannte mir der Boden unter den Füßen. Ich beschloß, sofort aufzubrechen. Den Chauffeur von Major Litschman unterrichtete ich von meinen Plänen.

Ich benötigte zwei Tage, um verschiedene persönliche Dinge zu regeln, und am letzten Abend versammelten wir uns zum Abschied. Wir waren alle traurig.

Alfred, der Chauffeur, holte mich am späten Abend ab. Wir fuhren Richtung Grenze, und er zeigte mir einen Schleichweg in den Westen. Im Zug kam ich auf dem zerstörten und vor Menschen wimmelnden Münchner Bahnhof an. Ich nahm ein Taxi in die Vorstadt Freimann, die mitten im Grünen lag und voller Blumengärten war. Mit Herzklopfen klingelte ich an der Tür im Sternweg 18.

Mein Bruder öffnete und war überrascht. Bewegt und glücklich umarmten wir uns. Ich umarmte lange seine Frau Mira und näherte mich wortlos der Wiege. Das hübsche lächelnde Gesichtchen Naomis und ihre blonden Locken habe ich nie wieder vergessen.

Nachdem ich mich sattgesehen hatte, beantwortete ich die ängstlichen Fragen meines Bruders und meiner Schwägerin. Meine einfache Erklärung beruhigte sie. Es war das erste Mal, seitdem ich meine Eltern verlassen hatte, daß ich mich wieder in einer Familie zu Hause fühlte. Die seelische Spannung der letzten Jahre fiel allmählich von mir ab. Ich gewöhnte mich an mein neues Leben. Jetzt war ich nicht mehr gezwungen, mich nur noch auf mich selbst zu verlassen, und ich betrachtete Isaak als Vaterersatz, und das blieb er bis zum Schluß. Isaak arbeitete in der Redaktion einer in München erscheinenden jüdischen Zeitung, dem *Ibergang,* die in jiddisch, doch in lateinischen Buchstaben gedruckt wurde. Einige Redaktionsmitglieder, Überlebende des Konzentrationslagers Dachau, besuchten uns hin und wieder und sprachen über ihre furchtbaren Erfahrungen.

Ich beteiligte mich an diesen Unterhaltungen nicht, sondern hörte erschüttert und fassungslos zu. Meine *Shoa* blieb im Verborgenen. Ich fühlte mich etwas unbehaglich, ich gehörte nicht ganz dazu. Die Last, die mir auf dem Herzen lag, behielt ich für mich. Doch einmal fragte mich einer, welches Schicksal ich gehabt und wie ich denn die Kriegszeit überstanden hätte. Ich bekam kaum den Mund auf. Ein innerer Widerstand hinderte mich daran, die ganze Geschichte zu erzählen. Das wenige, das ich offenbarte, erregte ihre Neugier. Die meisten wollten es nicht glauben, und einer von ihnen ging sogar soweit, das, was ich sagte, als fantastische Erfindung abzutun. Ich versprach, ihnen einen lebenden Beweis für meine Aufrichtigkeit zu bringen. Mit der Erlaubnis meiner Schwägerin lud ich also meinen Münchner Freund Otto Zagglauer zum Kaffee ein.

Ende 1947 öffnete die ORT-Schule ihre Pforten in München, und ich schrieb mich in einen Kursus für Feinmechanik ein. Meine in den Spezialwerkstätten des Volkswagenwerkes erworbenen Grundkenntnisse halfen mir. Ich studierte fast ein ganzes Semester. An dem Tag, da ich von der Eröffnung eines Büros für die Rekrutierung von Freiwilligen für die *Hagana,* die jüdischen Verteidigungskräfte in Israel erfuhr, verpflichtete ich mich mit pochendem Herzen. Ich hörte zum ersten Mal, wie die *Hagana*-Mitarbeiter hebräisch miteinander sprachen. Ich war sehr gerührt und bedauerte, kein Wort zu verstehen. Die Rekrutierungsformalitäten waren rasch erledigt, und das Datum der Einwanderung wurde auf den nächstmög-

Sally Perel Ende 1947 in München, kurz vor seiner Abreise nach Palästina.

lichen Termin festgesetzt. Inzwischen hörte ich im Rundfunk die Meldungen von großartigen Taten der jüdischen Kämpfer in Palästina. Ungeduldig wartete ich auf den Tag der Abreise und meine Beteiligung am Kampf. Diesmal würde ich nicht gegen meinen Willen oder in den Reihen des Feindes, sondern begeistert und überzeugt für mein Volk und mein Vaterland – und für mich kämpfen.

Zwei Tage, nachdem in Tel-Aviv die Unabhängigkeit verkündet worden war, erhielt ich die Reisegenehmigung. Ich verließ Isaak, Mira und die kleine Naomile, die ich so sehr liebte, und sprach die Hoffnung aus, sie mögen rasch nachkommen.

Ein großer, mit einer Plane bedeckter Lastwagen brachte

uns zum Hafen von Marseille. Wir blieben einige Wochen im Lager Saint-Germaine, und in der Dunkelheit einer Julinacht des Jahres 1948 schifften wir uns auf der »San Antonio« Richtung Haifa ein.

Ich weiß nicht mehr, wie viele Tage wir auf dem Meer verbrachten, aber mir schien, es dauere eine Ewigkeit. Wir waren so begierig darauf, endlich anzukommen, und die Lebensbedingungen auf dem Schiff waren nicht einfach. Bis dann eines sonnigen Tages auf dem tiefblauen Meer der Jubelschrei ertönte: »Israel in Sicht!« Wir fielen uns auf Deck in die Arme, überwältigt von unseren Gefühlen. Mein Reisegefährte Eliahu Beth Josef, noch heute mein treuer Freund, warf sich mir an den Hals, und wir weinten Freudentränen.

Wir schifften uns in der Nähe des Hafens von Haifa aus, und ein Lastwagen fuhr uns ins Militärlager von Beth-Lid. Dort wurden wir eingezogen. Wir leisteten unseren Eid auf den Staat Israel und bekamen achtundvierzig Stunden Urlaub. Ich beeilte mich, nach Tel-Aviv zu kommen, um meinen Bruder zu sehen. Die Weissagung des Peiner Mediums hatte sich erfüllt. Glücklich stand ich vor meinem Bruder David, unsere Freude war grenzenlos. In einer Zimmerecke stand ein Kinderbett, in dem Asriel, der erste Enkel unserer Eltern spielte.

Von David und seiner Frau Pola erfuhr ich vom tragischen Ende unserer Eltern. Papa starb aus Hunger und Schwäche und wurde auf dem jüdischen Friedhof von Lodz beerdigt. David und Pola haben ihn auf seinem letzten Weg begleitet.

– 1989 habe ich den Friedhof besucht, und ich fand dort das Grab meines seligen Vaters. Mit vierzehn Jahren hatte ich ihn verlassen müssen, mit vierundsechzig Jahren stand ich an seinem Grab. Es schloß sich ein trauriger Lebenskreis. –

Mama wurde Anfang 1944 zusammen mit anderen Ghettoinsassen zu einem Transport in einen abgedichteten Lastwagen hineingezwungen, in den während der Fahrt die Auspuffgase einströmten. Auf diese Weise zu Tode gekommen, wurden alle in Chelmo bei Lodz in ein Massengrab geworfen. Und mit ihnen auch meine selige Mutter.

David und Pola, die sich unter den letzten achthundert Juden des Ghettos von Lodz befanden, wanderten nach der Befreiung durch die Rote Armee über Italien nach Palästina aus.

Die beiden Urlaubstage waren rasch verstrichen, und ich fand mich wieder im Militärlager von Beth-Lid ein. Nachdem wir uns ein wenig an die glühende Hitze und das trockene Dornengestrüpp gewöhnt hatten, stiegen wir in einen Omnibus der *Eged,* der israelischen Verkehrsgesellschaft. Über den kurvenreichen »Burma-Weg« erreichten wir das belagerte Jerusalem. Dort wurde ich Soldat im Regiment 68 der Jerusalemer Division unter Führung von Mosche Dayan.

Ein neues Kapitel war aufgeschlagen worden. Aber diesmal würde ich es mit Tausenden anderer Einwanderer teilen. Ich wußte:

Ihr sollt leben...

Nun haben Sie meine Geschichte gelesen. Und Sie werden Fragen stellen – Fragen, die ich einst fürchtete, die mich lähmten, die mich lange Zeit hinderten, diese Geschichte zu erzählen. Ich habe sie erzählt und damit beschlossen, mich allen Fragen offen und ehrlich zu stellen. Das ist schon lange viel mehr als die ursprünglich gedachte Selbsttherapie. Als ich 1988 mit dem Schreiben des Buches begann, ahnte ich nicht, daß es eine solche aktuelle Wichtigkeit erlangen würde. Seitdem habe ich mit vielen Menschen geredet, diskutiert und auch gestritten. Und ich werde das weiter tun, denn es ist die beste Möglichkeit, unser Gedächtnis lebendig zu halten. Und unser Gedächtnis ist das wirkungsvollste Bollwerk gegen die braune Gefahr.

Ich, der Jude Sally, kenne den Jupp in mir – ich kenne den Nazi. Und ich nehme die Provokation auch von fünfzehn-, sechzehnjährigen Jungen an. Bei einer Schülerveranstaltung, auf der einige Jungen applaudierten, als ich das schicksalhafte Datum 1. September 1939 erwähnte, habe ich sie gefragt, warum sie das täten. Ich habe mit ihnen geredet. Ich habe ihnen nicht nur die Schreckenszahlen des Naziterrors und des von den Nazis angezettelten 2. Weltkrieges vor Augen gehalten, 50 Millionen Tote, sechs Millionen ermordete Juden, sondern ich habe ihnen vor allem von Jupp erzählt. Sie müssen erfahren, wie sie verführt werden, wie sie geblendet und schließlich geopfert werden. Sie müssen wissen, über welchen Ideologien die schwarze Fahne weht. Ich habe den Jungen das Schalom angeboten und ich glaube, sie haben mich verstanden. Die Jugend von heute ist nicht verantwortlich für die Greueltaten der Nazis, aber sie wird es sein, wenn es wieder zu solchen kommt.

Zu einer Begegnung ganz anderer Art kam es bei einer Diskussionsveranstaltung in Berlin. Da meldete sich ein älterer eleganter Herr mehrere Male zu Wort, und als es ihm endlich erteilt wurde, verließ ihn ganz offensichtlich der Mut. Und doch stand er auf, zögernd nur, deutlich Spannung im Gesicht, ein eher in sich gekehrter Blick. So kam ein jahr-

zehntelang tief vergrabenes Geheimnis über seine Lippen. Es war wie eine Offenbarung, so als ob sich ein geheimes Kämmerchen in der Tiefe seiner Seele öffnete. Er, ein Jude etwa in meinem Alter, erzählte, wie er überlebt hat. Er wurde in einem kleinen Zimmer einer kleinen Wohnung vor den Nazihäschern versteckt. Mit zitternder Stimme beschrieb der Mann, wie er als jüdischer Junge hinter der Gardine stand und die Aufmärsche der Hitlerjugend beobachtete – voller Angst und Schrecken. Aber je länger er in diesem Zimmer, auf den wenigen Quadratmetern ohne Kontakt zur Außenwelt versteckt bleiben mußte, um so größer wurde seine seelische Not und Qual. Der kleine jüdische Junge stand immer häufiger hinter der Gardine und träumte davon, auch ein Hitlerjunge zu sein. Schweigen. Betroffenheit im Saal. Sie, sagt der Mann an mich gerichtet, Sie haben mich mit Ihrer Geschichte, mit Ihrer Offenheit dazu gebracht, meine Geschichte zu erzählen. Das habe ich niemals zuvor gewagt...

In einer anderen Stadt bildete sich wie so oft nach Lesungen eine Schlange. Die Menschen, die mir zugehört und mit mir diskutiert hatten, warteten, um die erworbenen Bücher von mir signieren zu lassen. Nicht eingereiht hatte sich ein älterer Mann. Er stand ein wenig abseits, auf der anderen Seite des kleinen Tisches, an dem ich immer wieder meinen Namenszug und ein herzliches Schalom schrieb. Als ich zwischendurch einmal aufblickte, bemerkte ich ihn, sah, wie er dort geduldig mit meinem Buch stand. Er schien mir älter als 80 Jahre zu sein. Und deshalb wollte ich ihn vorziehen und ihm seinen Signierwunsch schnell erfüllen. Er aber wollte das nicht, gab mir vielmehr zu verstehen, daß er mich am Ende gerne auf ein Wort unter vier Augen gesprochen hätte. Er wartete geduldig. Als er schließlich alleine vor mir stand, erzählte er mir mit leiser Stimme, daß er ein hoher SS-Offizier gewesen sei. Und ich sei ihm an diesem Abend wie ein »vom Himmel Geschickter« erschienen, ich böte ihm die Gelegenheit, heute um Verzeihung zu bitten. Was suchte er? Wirklich Verzeihung für die Verbrechen von damals oder eher Verständnis für sein menschliches Ansinnen in dieser Situation? Ein Verzeihen und Vergessen der damaligen Verbrechen wird es nicht geben. Aber ich bin nicht von Rache erfüllt, deshalb kann ich eine solche Offenbarung respektieren. Sinn und Zweck macht sie aber nur, so gab ich dem Mann zu verstehen, wenn Ihr Euer Schweigen brecht, offen bekennt, was Ihr getan habt und was Ihr gesehen habt. Ihr müßt es beschreiben – in aller Schrecklichkeit. Ihr seid aufgefordert, Euch der Gefahr eines neu aufkeimenden Neonazismus entgegenzustellen. Damit solche Greueltaten nie wieder in Deutschland und nie wieder im Namen des deutschen Volkes geschehen.

Ich will meinen bescheidenen Beitrag mit diesem Buch leisten. So bekommt der Schrecken und die Aberwitzigkeit meines Überlebens noch einmal einen zusätzlichen Sinn.